Título original:

Acht Tage, ein Ziel: der untere (

Caracas, febrero de 2021

TEXTOS

Hans García

FOTOGRAFÍAS

Hans García:

y

Rubén González:

DISEÑO GRÁFICO

Hans García

ISBN: 9783753480527

HERSTELLUNG UND VERLAG:

BoD - Books on Demand, Norderstedt

ocho días, un destino...

... el bajo Orinoco

documentado e ilustrado

Hans García

---

serie:

Ríos del Escudo Guayanés

Contenido

Prólogo

"*Mil especies de hombres y diferente uso de las cosas: cada quien quiere lo suyo y no se vive de un solo deseo*"...

...una frase que condensa de una manera acertada la experiencia que describiré en este libro. Un deseo de conocer un aspecto de la Naturaleza de una forma muy particular: el Bajo Orinoco en un bote inflable.

La curiosidad y ansia de saber de un naturista carecen de límites a la hora de investigar, averiguar y experimentar la naturaleza y sus fenómenos. Pues la curiosidad es una virtud tan natural que comienza por ser una cosa tan simple como el hecho de escudriñar cada mañana los cielos con el solo fin de pronosticar si irá a llover o no, para convertirse en el motor que ha impulsado todo el avance, desarrollo y conocimiento de la humanidad.

Pero... ¿por qué el Orinoco?...

Durante muchos años me he dedicado, acompañado de familiares, amigos o simplemente conocidos, a explorar los ríos de la Guayana venezolana, y más concretamente los ríos del margen derecho del Orinoco y sus afluentes. Ríos caudalosos muchos de ellos, serpenteantes, fascinantes, exuberantes, misteriosos y sorprendentes. Sipapo, Guayapo, Cataniapo, Parhuaza, Villacoa, Suapure, Cuchivero, Caura, Aro, Paragua, Caroní, Asa y Chiguao son tan solo algunos de los cursos de agua explorados, conocidos, fotografiados e inspeccionados a veces en repetidas ocasiones en el lapso de casi 20 años.

Pero el gran recolector de todos esos y muchos otros caminos de agua es el Orinoco, "El padre de los ríos". Y... ¿no sería justo también explorar, recorrer, conocer, entrar en profundo contacto con ese gran curso de agua, el tercero más caudaloso del mundo, de 2140 km de longitud y con más de 200 tributarios en los que a su vez desembocan unas 600 corrientes de agua o afluentes secundarias? Justa y atrayente, no sería por lo demás, la idea de navegar, al menos parcialmente y por cuenta propia, el "Gran Río".

"ORINOCO", ¿etimología?... del lenguaje de los Warao, etnia que habita en la parte baja del río y en su delta, y que significa "Donde se Rema". Pero tenga en cuenta el lector que, según el explorador Diego de Ordaz, los indígenas del bajo Orinoco le llamaban Paragua, que significa Gran Río. Hoy día se le llama Paragua al principal tributario del río Caroní, que a la vez es afluente directo del Orinoco.

Siempre me había atraído el Orinoco, pero pocas veces lo había navegado. Apenas cortos trayectos junto a desembocaduras de otros ríos que exploraba, como el Caura, el Sipapo, el Suapure o el río Aro y siempre como destino secundario. Pero hace unos 3 años, en el curso de 2006, me obsesioné con la idea de hacer un recorrido largo y dedicado al Orinoco exclusivamente. Algo diferente, prolongado, bien planificado y concentrado en el magno río.

Dos intentos de emprender la aventura fracasaron por diversas razones: compromisos de trabajo o falta de compañero adecuado para la expedición, entre otras. Finalmente, en enero de 2008, el proyecto se hizo realidad.

Y he aquí el relato; aunque antes recomiendo al lector ilustrarse a través de los próximos capítulos, y en forma muy resumida si que quiere, acerca de lo que esconde la palabra "Orinoco".

Introducción

El Orinoco por a su magnitud e influencia, se puede investigar desde diversos ángulos: el físico, por ejemplo, que abarca su geografía, geología, climatología e hidrografía; el biológico, que se refiere a su flora y fauna; el humanístico, que incluye su historia, economía, etnografía o antropología..., por nombrar algunos de ellos.

La expedición que aquí se relata se centra más bien en lo descriptivo, lo físico, lo geográfico, lo paisajístico. En el relato día a día del viaje describo experiencias puntuales vividas a lo largo de la travesía, acompañadas de los detalles que el paisaje ofrece en sus distintos rincones.

Pero a pesar de que el enfoque será más bien físico-descriptivo, he decidido incluir en este libro algo de historia, para que el lector neófito en este campo pueda adquirir una breve idea de quiénes han sido los personajes que fueron entregando al mundo los secretos de este río. Muy brevemente también haré referencia a la población que habita esta zona, pero sin llegar a hacer ningún énfasis en consideraciones étnicas o antropológicas.

También escribiré un poco sobre la historia geomorfológica del río y sus adyacencias, y de igual forma mencionaré aspectos destacados de su flora y fauna.

Para el interesado en profundizar un poco más en el aspecto físico del río, he incluido al final de la obra un breve pero completo apéndice que define y describe lo que es "La Orinoquia" desde tres diferentes enfoques, a saber: geomorfológico, hidrográfico y climatológico.

Sirva al lector esta obra de entretenida y a la vez interesante lectura, además de introducirlo al mundo fascinante de uno de los cauces de agua más significativos del planeta.

Un poco de historia

Los europeos descubrieron el río Orinoco en el año 1500. Fue Vicente Yánez Pinzón quien se dio cuenta que era un río, si bien Cristóbal Colón, durante su tercer viaje en 1498, avistó su delta, pero no sospechó que se encontrara en las costas del continente americano.

Diego de Ordaz fue el primero que lo recorrió en una gran extensión. Llegó hasta más allá de la confluencia del Meta (unos 880 km desde la desembocadura) en 1531-1532. Alonso de Guerra intentó su exploración (1535), pero la expedición hubo de regresar a Cubagua debido a los ataques indígenas, que convirtieron el Orinoco en un centro de resistencia contra la dominación española.

La fundación de Santo Tomás en 1595 dio principio a la colonización del río, continuada por jesuitas y franciscanos durante los siglos XVII y XVIII. En el siglo XVIII los exploradores José Iturriaga, José Solano y José Dibuja recorrieron el Alto Orinoco.

No puedo pasar por alto el nombrar al escritor, cartógrafo e ingeniero naval francés S. Bellin, quien en 1763 publicó su obra Descripción Geográfica de la Guayana en la que dedica un capítulo completo divido en tres artículos, al Orinoco, su geografía, hidrografía, clima, fauna y etnografía.

Bellin define así el Orinoco en el Capítulo I, Artículo I de su obra:

"El ORINOCO es uno de los grandes ríos de la América Meridional, tanto por la longitud de su curso, la anchura y la profundidad de su lecho, cuanto por la abundancia de sus aguas y la cantidad de ríos que recibe, entre los cuales hay algunos muy caudalosos.

Tiene sus cabeceras en esta cadena de montañas que separa el Perú del Nuevo Reino de Granada, entre el primero y segundo grado de latitud septentrional, y a unos ochenta y ocho grados, más o menos, de longitud occidental del meridiano de París; corre al principio hacia el Este-Sudeste, por unas ciento cuarenta o ciento cincuenta leguas; de repente vira hacia el Nordeste, y viene a dar al mar, frente a la isla de Trinidad, entre el octavo y el noveno grado de latitud, por un gran número de bocas,..., de suerte que pueden contarse por lo menos seiscientas leguas de curso"

Curiosa la visión del río hace casi dos siglos y medio: su nacimiento hacia la cordillera andina (no fue sino hasta mediados del siglo XX que se identificó en forma precisa el verdadero nacimiento del río), la referencia al primer meridiano no como el meridiano de Greenwich, sino referido a París, las "muchas bocas" en su desembocadura (el actual delta) y la medida de longitud de la época: la legua, equivalente a poco más de 4 kilómetros.

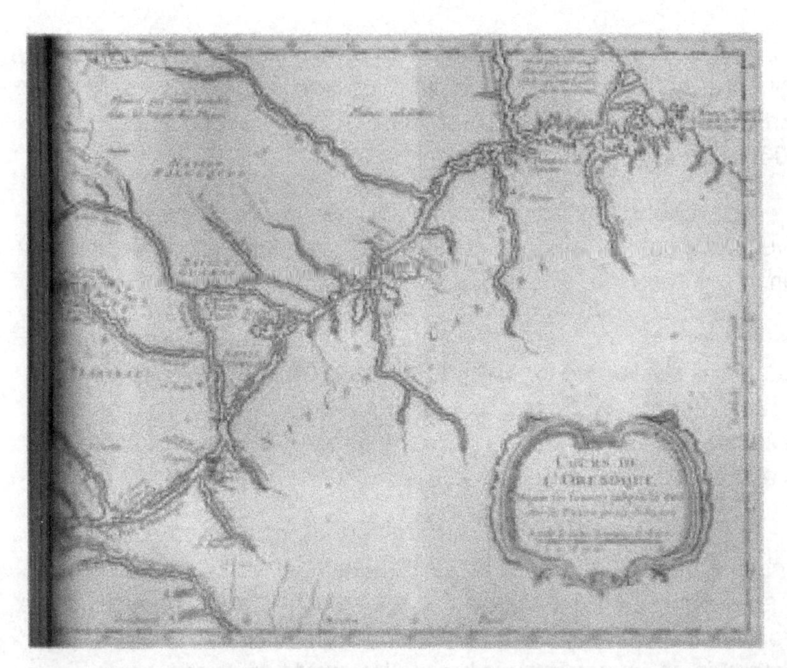

Copia de carta original del río Orinoco publicada en el libro ***Descripción de la Guayana*** **de *S. Bellin*.** Se observa la misión de ***Santo Tomás de Guayana***, cercana a la boca del Caroní, y que hoy constituye Ciudad Guayana. El fragmento de mapa se extiende hasta poco más arriba de la confluencia con el río Meta.

Detalle del tramo del Orinoco desde Santo Tomás de Guayana hasta su desembocadura, según mapa cartográfico de *S. Bellin*.

El primer viajero científico que recorrió el río fue el eminente botánico Aimé Bompland quien, como secretario del titánico Alexander von Humboldt, pasó 100 días en el río en el año 1800.

Ambos llevaron a cabo un intenso y fascinante periplo navegando por el "dédalo de los ríos" que forman el Apure, el Orinoco, el Atabapo, el Guainía, el río Negro y el Casiquiare.

Presa de unas "fiebres misteriosas" (seguramente paludismo) casi fallece Bompland. Afortunadamente se recuperó, tras lo cual escribió el Cortex angosturae, que inmortalizó con una excelente colección gráfica en su obra cumbre, la extraordinaria pero poco conocida Plantas equinocciales.

En noviembre del mismo año Bompland emprendió su regreso a Europa vía Cuba. En La Habana confío parte considerable de su herbario y de los insectos que tan meticulosamente había recolectado en su viaje, a un joven fraile que volvía a Europa. Todo se extravió en un naufragio cerca de las costas africanas.

Retrato de Alexander von Humboldt en 1806, por Georg Weitsch. A la derecha, retrato de Aimé Bompland.

Bompland intentó regresar al Orinoco, pero los avatares de la guerra de la independencia lo impidieron. Viajó a Argentina en 1817 y cayó secuestrado por el tirano paraguayo Gaspar Rodríguez Francia. Fue liberado en 1831 y falleció poco después. Nunca regresó al Orinoco ni a Europa.

Poco después del viaje de Bompland al Orinoco, en 1884-1885 y en 1886-1887, el viajero aventurero francés Jean Chaffanjon realizó extensos viajes por el río hasta las cercanías de su nacimiento. Publicó dos libros, reunidos en 1986 en un solo volumen por la Fundación Cultural Orinoco.

Chaffanjon pretendió fijar las fuentes del Orinoco en el raudal Waika (ahora llamado Peñascal), a unos 150 km al oeste de donde realmente se encuentran.

Descubrir las nacientes del Orinoco había sido un antiguo proyecto español que no vino a fructificar sino en 1951 (27 de noviembre) cuando la expedición franco-venezolana comandada por el mayor Franz Rísquez Iribarren estableció las nacientes en el cerro Delgado Chalbaud, sierra de Parima, a 1047 metros de altura S.N.M.

Y ya en ese siglo XX cuatro viajeros franceses convirtieron el Orinoco en un laboratorio abierto, revelándolo como un santuario etnográfico de notable biodiversidad. René Lichy, el primero de ellos, entomólogo y dibujante, narró sus aventuras como miembro científico de la expedición que descubrió en 1951 las fuentes del río.

Marc De Civrieux, geólogo y mitógrafo, publicó en 1970 su Watunna mitología makiritare, que constituyó una reveladora obra cultural del universo mítico sobre el cual se erige la etnia Ye´kuana. Después de su reedición en 1992, el Watunna es apreciado como un monumento micrográfico a través del cual su autor alcanzó un tono épico y una cadencia narrativa propia de Hesíodo o de Homero.

Jacques Lizot se estableció desde 1968 entre los Yanomami del alto Orinoco. Publicó en 1970 un primer léxico Yanomami-Francés con una nueva edición editada a finales de siglo. Antropólogo y etnólogo bien formado académicamente, se acercó a la etnia Yanomami hasta tal punto de remodelar su personalidad y hacerse uno de ellos. De hecho, viajó con ellos por su sistema de caminos que simula una telaraña distendida en el laberinto de la virgen selva.

Culmina esta relación de viajeros galos en la zona del Orinoco con la lingüista especializada en etno-educación Marie-Claude Mattei-Müller, que ha realizado importantes trabajos de campo con los Panare, Yawarana, Ye'kuana y Yanomami, fruto de los cuales han surgido libros y publicaciones diversas.

Imagen extraordinariamente rara de la expedición de Jean Chaffanjon al alto Orinoco en 1886-1887.

El Orinoco:

Origen y resumen geomorfológico

Geológicamente hablando, la cuenca del Orinoco comenzó a desarrollarse hace unos tres mil millones de años en una de las formaciones rocosas más antiguas del planeta: la formación Roraima en el escudo Guayanés. En el correr de los años se depositaron enormes cantidades de sedimentos sobre la roca para formar el suelo sobre el cual descansa hoy día parte de Venezuela y Colombia.

El crecimiento más reciente de la cordillera andina fue desplazando hacia el sur y hacia el este las corrientes fluviales iniciales. Con ello, través del tiempo, la desembocadura del Orinoco fue trasladándose en sentido este – sureste. Inicialmente en el mar Caribe cerca de Maracaibo, se movió a lo que es hoy la costa norte del estado Falcón, luego a Unare y finalmente al Atlántico.

Otros ríos que, ahora son tributarios del Orinoco, antes eran independientes y desembocaban probablemente en el mar Caribe. Tal es el caso, por ejemplo, del Caroní y del Caura.

Las teorías sobre el génesis del Orinoco no dejan de sucederse. Un artículo publicado en el diario El Tiempo el 27 de febrero de 2006, por ejemplo, describe una innovadora hipótesis formulada por investigadores de universidades nacionales e internacionales, basada tanto en estudios geológicos como paleontológicos, según la cual existió hace 67 a 83 millones de años un río Paleo-Orinoco-Amazonas que discurría en sentido sur → norte cercano a lo que fue más tarde la cordillera andina.

Se trata de una hipótesis que sostiene que el Río Orinoco tenía su fuente primigenia en las estribaciones de la Cordillera de Los Andes y que se comunicaba con el Amazonas, formando una sola cuenca hidrográfica.

Según el artículo, el río fue cambiando de curso para fluir hacia el Este debido a una serie de eventos orográficos ocurridos entre 6 y 11 millones de anos, al final del Paleoceno, cuando comenzó a elevarse la Cordillera Oriental de Colombia y aparecer el istmo de Panamá. Estos eventos transformaron el relieve haciendo que el mar invadiera y se retirara en forma sucesiva, dejando un área pantanosa antes de su desembocadura en Urumaco (estado Falcón). Cuando ese flujo marino ocurría, entraban las aguas de los océanos Atlántico y Pacífico que estaban unidos.

Al elevarse la Cordillera Oriental de Colombia, el caudal de agua que fluía desde los Andes se vio obstaculizado desviándose en dirección Este hasta convertirse en lo que es ahora el lecho del Orinoco.

Actualmente el río nace muy cerca de la frontera con Brasil, al este del estado Amazonas y se aleja de sus fuentes dirigiéndose en dirección general oeste hasta San Fernando de Atabapo. Luego gira al norte, y a partir de la boca del Apure va hacia el este hasta el mar, dibujando un inmenso arco de unos 270º entre el paralelo 2º y 9º latitud norte, y entre los meridianos 61º y 68º de longitud oeste.

Poco antes de su confluencia con el caño Casiquiare, en el estado Amazonas, el río comienza a recibir toneladas de sedimentos de sus tributarios, que aumentan considerablemente tras el desagüe de los ríos de los llanos colombianos y venezolanos.

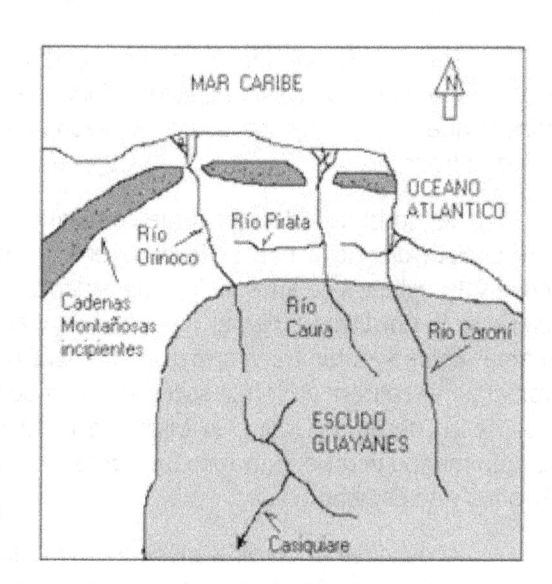

Antiguo curso
del Orinoco

La mayor parte de estas estructuras sedimentarias en los canales arenosos del Orinoco son estratos planos cruzados producto de la sedimentación de bancos de arena de granulación media, en cuya parte superior se forman dunas eólicas por acción de los vientos alisios, que más bien son de granulación fina.

El Orinoco:

Datos generales y división

Nace el poderoso río Orinoco, considerado el tercer río más caudaloso del planeta después del Amazonas y del Congo, a 1047 metros sobre el nivel de mar en el cerro Delgado Chalbaud, en el extremo sudeste del Estado Amazonas, y su curso se desplaza primero hacia el Norte para luego girar por completo hacia el Este. Al cabo de 2.140 km desemboca en el océano Atlántico a través de unos 300 canales que forman un portentoso delta de 30000 kilómetros cuadrados, después de atravesar diversos paisajes como selvas húmedas, bosques secos, montañas graníticas, sabanas y llanuras inundables, pantanos y manglares.

En tiempo de lluvias el río alcanza 22 kilómetros de ancho en San Rafael de Barrancas y 100 metros de profundidad. Es navegable a lo largo de 1670 kilómetros, de los cuales 341 son utilizados por barcos de gran calado. La Cuenca del Orinoco cubre más de un millón de kilómetros cuadrados, pues incluye no sólo la de los afluentes en territorio venezolano, sino también la de los ríos que vienen de Colombia. De esta superficie, aproximadamente un 70% se encuentra en territorio venezolano.

Según Antonio Luis Cárdenas, en su libro Geografía Física de Venezuela, tercera edición de 1970, el Orinoco a la altura de Ciudad Bolívar presenta una fluctuación en su profundidad que va desde la más baja en marzo (16 metros) hasta casi 30 metros en agosto.

Con el cambio de caudal varía también la velocidad de la corriente. Igualmente, frente a Ciudad Bolívar, en temporada de crecidas, el río se desplaza a más de 2 m/s (más de 7 km/h) para disminuir su velocidad a 3 cm/s en época de aguas bajas, período durante el cual predomina sensiblemente el efecto de las mareas.

Cita Cárdenas que el caudal promedio, al iniciarse su delta, es de 18000 m^3/s con un arrastre de más de 100 millones de metros cúbicos de sedimentos al año.

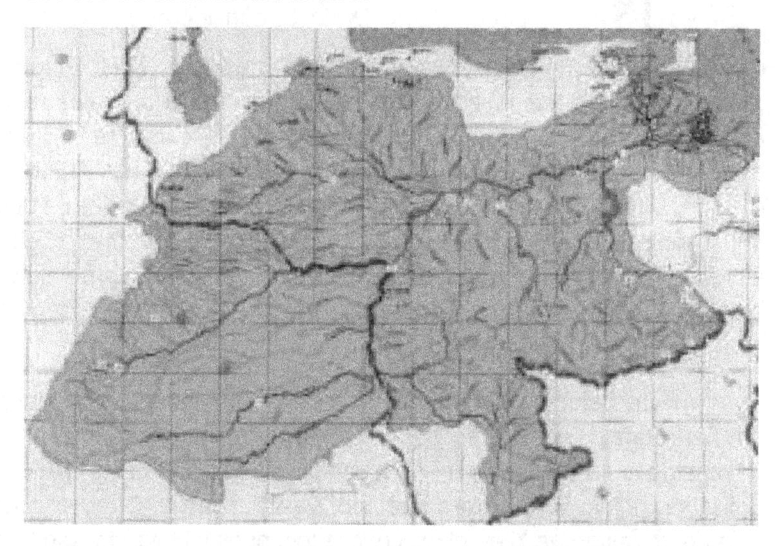

Cuenca del río Orinoco (tomado de Wikipedia, http://es.wikipedia.org/wiki/Orinoco)

Se suele dividir el curso del Orinoco en cuatro tramos:

ALTO ORINOCO

Se considera comprendido entre el nacimiento del río y el raudal de los Guaharibos. En esta parte es un río de montaña, que por su perfil irregular presenta numerosos saltos. En los primeros 80 km se encuentra rodeado de una densa selva, hecho que dificultó su descubrimiento. Siguiendo su curso, a los 100 km, se une con su primer afluente importante: el río Ugueto. A partir de esta unión el Orinoco alcanza una anchura de 51 metros, y su cauce una profundidad de más de 4 metros.

A los 180 km, desciende 140 metros, y los saltos son substituidos por raudales o rápidos, que en número de más de 100 hacen difícil la navegación, aún con canoas y otras embarcaciones ligeras.

En recientes exploraciones, se han descubierto meandros que se encuentran entre los kilómetros 200 y 350, donde el valle se ensancha y el río describe amplias curvas.

A los 240 km su nacimiento, termina el Alto Orinoco en el raudal de los Guaharibos, con violentos rápidos producidos por los bruscos encuentros con las rocas en el descenso de las aguas.

ORINOCO MEDIO

Su extensión es de aproximadamente de 750 km, desde el raudal de los Guaharibos al de Atures. Inicialmente el río corre en dirección oeste. Luego, al recibir por su margen izquierdo el afluente Mavaca, cambia su curso hacia el norte por unos 175 km.

En su discurrir sigue recibiendo nuevos afluentes, como el Ocamo, y alcanza una anchura de 400 metros de orilla a orilla. Empiezan entonces a aparecer en su cauce islas arenosas producto de la deposición de sedimentos.

Cuando el Orinoco mide 500 metros de anchura, su curso se hace más recto hacia el oeste, su caudal alcanza unos 2500 m^3/s

y se une con la Cuenca del Casiquiare, a unos 20 km de la Esmeralda. Aquí quedan conectadas las cuencas del Amazonas y del Orinoco.

Siguiendo su cauce hacia el oeste le llegan las aguas del Cunucunuma procedentes del norte. Más adelante el Orinoco vuelve a su curso hacia el noroeste, bordeando y limitando siempre el Escudo Guayanés, hasta encontrar el Ventuari.

Sus aguas siguen hacia el oeste, y en San Fernando de Atabapo se forman playas que discurren entre tierras llanas debido al gran volumen de arenas traídas por el Ventuari. En este lugar aumenta considerablemente su caudal porque se le unen los ríos Atabapo, Guaviare e Inírida, alcanzando 1500 metros de anchura.

A partir de San Fernando de Atabapo cambia su curso de oeste a norte, y en esta dirección recibe nuevos afluentes llaneros provenientes de Colombia, entre ellos el Vichada y el Tomo.

Luego, los raudales de Maipures al norte de la Isla Ratón y los raudales de Atures al sur de Puerto Ayacucho, caracterizan el tramo final de esta sección del río.

BAJO ORINOCO

Este segmento, objeto de nuestra expedición, no sólo es el más largo y ancho, sino también el de mayor desarrollo económico y donde se concentra la mayor cantidad de población. Además, presenta notables diferencias en sus tramos, que van desde los raudales de Atures a Piacoa, con una extensión de 950 Km.

El Orinoco alcanza anchuras de hasta 5 km a partir del Meta, primer gran curso de agua que se le une en este tramo. En dirección noroeste recibe varios afluentes llaneros, como el Cinaruco, el Capanaparo y el Apure, río este último que impulsa al Orinoco a seguir su curso rumbo al este. También se le unen ríos procedentes de la Guayana, como el Suapure y el Parhuaza.

Luego, entre Caicara y Piacoa, el curso del río presenta amplias curvas producidas por la lucha del Orinoco en profundizar su cauce, desviado por la resistencia de las rocas del Escudo Guayanés.

En el tramo final del Bajo Orinoco, el río recibe afluentes provenientes del norte como el Manzanares, el Iguana, el Suata, el Pao y el Manapire. Igualmente, en este tramo incrementa su caudal gracias a los ríos provenientes de Guayana que corren de sur a norte, como el Caroní, con sus afluentes Paragua y Carrao, el Caura, el Aro y el Cuchivero.

Finaliza el Bajo Orinoco en Barrancas, a partir de donde se abre en cientos de brazos y caños para formar el portentoso Delta.

SECCIÓN DEL DELTA

La desembocadura del Orinoco se da en uno de los deltas más grandes y menos contaminados del mundo. Su formación se remonta a la era terciaria. Su extensión hizo pensar a Colón y a los primeros viajeros europeos que se trataba de un mar. Es un lugar de asombrosa riqueza paisajística por la gran variedad de flora y fauna que alberga. La mayoría de las islas que lo conforman son el producto de la constante acumulación de sedimentos que el Orinoco ha arrastrado a través de su existencia milenaria, con el aporte de sus afluentes. Sin embargo, no todas sus islas son producto de la acumulación de materiales, sino que también fueron formadas por la acumulación de lodo proveniente de erupciones de volcanes de lodo, como los situados en Pedernales. Ejemplo, ver:

http://es.wikipedia.org/wiki/Volc%C3%A1n_de_lodo.

La pluviosidad anual en la zona del delta alcanza desde los 900 hasta los 2500 mm. Los vientos alisios del noreste y sudeste, al ponerse en contacto con las tierras deltanas, ocasionan el viento este→oeste que avanza por el cauce del Orinoco. Sin embargo, durante las crecidas de invierno se observa la presencia del llamado viento "barinés", que se desplaza siguiendo la misma dirección del

Orinoco. En la época de menor precipitación pluvial actúan en la zona los vientos llamados "nortes".

La corriente en el delta del Orinoco y sus caños está principalmente gobernada por el efecto de las mareas provenientes del Atlántico. El curso del agua cambia de dirección cada 6 horas haciendo que el caudal pase de un máximo en marea alta a un mínimo en marea baja. Cuando el flujo alcanza su nivel máximo hace posible que el agua salada se desplace hacia el interior del delta por sus caños que, al desbordarse, anegan las tierras adyacentes, facilitando la formación de grandes manglares. Las mareas se aprovechan para capturar peces en arterias fluviales de poca longitud y escaso caudal, tapando sus bocas una vez que la marea ha subido y haciendo que los peces queden encerrados al bajar.

Interesante es la tabla mostrada abajo, que resume el curso fluvial del Orinoco a lo largo de la división geopolítica de Venezuela y Colombia, tomada de:

http://es.wikipedia.org/wiki/Orinoco

Estados por los que fluye

Estado	Corriente en km	Ribera derecha		Ambas riberas		Ribera izquierda	
		km	%	km	%	km	%
Amazonas	1167	1167	54,5	905	43,2	905	43,7
Colombia	268	0	0	0	0	268	12,5
Bolívar	702	702	32,8	0	0	0	0
Apure	227	0	0	0	0	227	10,6
Guárico	109	0	0	0	0	109	5,1
Anzoátegui	360	0	0	0	0	360	16,8
Monagas	11	0	0	0	0	11	0,05
Delta Amacuro	271	271	12,6	260	12,1	260	12,1

Curso fluvial del río Orinoco por estado

El Orinoco:

Flora y Fauna

Muy variada es la flora en las riberas y proximidades del Orinoco. Desde las grandes selvas en el alto y parte del medio Orinoco, hasta las interminables sabanas que se extienden a partir de San Fernando de Atabapo en el margen izquierdo, a lo largo de los estados Apure, Guárico, Anzoátegui, Monagas y Delta Amacuro. Las extensas sabanas de los Llanos presentan una vegetación muy típica, constituida por pastizales, chaparrales, arbustos achaparrados y pequeños bosques de galería con plantas y árboles adaptados a condiciones muy secas y a la presencia estacional del fuego.

Allí pueden nombrarse especies de árboles como el samán, el caro-caro y el pardillo, que se encuentran en tierras bajas y secas, o las palmas de moriche y coco de mono que crecen en los bosques de galería muy cerca de fuentes de agua y zonas de inundación.

Las fértiles planicies que circundan el río en el bajo Orinoco proporcionan un hábitat ideal para los árboles caducifolios (que pierden sus hojas en temporada seca) tales como los cedros, ceibas y caobas, por un lado, y los araguaneyes y otras especies de acacias por el otro.

Por otra parte, el uso de la enorme cantidad de especies vegetales para la obtención de productos medicinales tiene una enorme potencialidad, que sólo se irá ampliando en la medida que se la vaya conociendo mejor. La bebida conocida como Amargo de Angostura, por ejemplo, constituye un caso del desarrollo de un tónico que resultó muy útil desde el siglo XIX. Aunque con una composición creada por Johann Gottlieb Benjamin Siegert, y guardada en el mayor secreto hasta nuestros días, se sabe que contenía entre sus ingredientes quina (de ahí el sabor amargo) y sarrapia, vegetales cuyos principios medicinales están perfectamente comprobados desde hace más de tres siglos.

En cuanto a la fauna, diversos paisajes del Orinoco proporcionan un lugar preferencial a una gran variedad de especies, como nutrias gigantes de río, ocelotes, pumas, jaguares, monos araguatos, osos hormigueros, chigüires, dantas, delfines de río (Toninas), boas, anacondas, tortugas arrau y matamata. También en sus orillas viven cachicamos, babas y caimanes del Orinoco, este último uno de los reptiles más amenazados de extinción en el mundo.

Ya desde los primeros viajes de exploración al Orinoco se mostró interés por su novedosa y exótica fauna, tal como ilustran los diagramas anexos, tomados del libro de Bellin, que datan de mediados del siglo XVIII.

Ilustración de animales de la Guayana, tomado de Descripción Geográfica de la Guayana, de S. Bellin.

La Cuenca del Río Orinoco es el hogar de más de 1000 especies de peces (sólo en el propio Orinoco se han identificado más de 300), que incluyen infinidad de bagres, caribes y pirañas, y varias especies amenazadas, como el cinchado pavón. Una especie de bagre llamada lau-lau, que alcanza más de 150 kilos, es considerada una delicia culinaria.

La Gran Bestia¨, tomado de Descripción Geográfica de la Guayana, de S. Bellin.

Los llanos del Orinoco constituyen uno de los lugares más ricos en aves del mundo. Garzones soldados, tántalos americanos, guacamayas bandera, garzas-paleta, garzas reales, águilas, loros y pericos, flamencos y tucanes, todo tipo de gavilanes y halcones son algunas de las especies de aves grandes que habitan los Llanos y regiones circunvecinas al Orinoco.

Las sabanas también proporcionan un hábitat seguro de invierno a las más de 130 especies de aves migratorias neotropicales, incluyendo garzas patiamarillas, varias especies de andarríos (chorlos y playeros), arroceros migratorios y charlatanes. Grandes bandadas de tres especies de patos, las yaguasas cariblancas, las yaguasas de pico rojo y las yaguasas bicolores son visitantes regulares de las sabanas inundadas. Otros huéspedes de invierno son el elanio tijereta y el gavilán de ala ancha.

A lo largo del relato tendrá el lector oportunidad de disfrutar de emocionantes narraciones y admirar fotografías relativas a recodos encontrados en el recorrido.

Los preparativos iniciales

A mediados de 2007 comenzó a tomar forma el proyecto de exploración del bajo Orinoco. Lo más importante primero: el compañero de viaje. Invité a Rubén González, un amigo con el que he compartido innumerables expediciones a ríos de Guayana, montañas y zonas en los llanos. Experimentado, aventurero, guerrero, práctico y con una envidiable atracción por la Naturaleza, conocedor de muchas especies de animales, especialmente aves silvestres, era sin duda la persona ideal para compartir un viaje como este.

Lo segundo era la fecha. Propuse los primeros días de enero 2008 por varias razones. Una, que se trata de una época en la que ambos estábamos libres de compromisos de trabajo. Otra, en la zona a recorrer habría entrado el verano o temporada seca. Además, estadísticamente es el mes más fresco del año, lo cual en una región tan calurosa y húmeda como lo es la de los llanos adyacentes al Orinoco, constituiría un verdadero alivio.

Otro punto importante era determinar en qué dirección íbamos a recorrer el río. Comenzar en el Delta y finalizar en Apure o Amazonas significaría ir río arriba, contra corriente. Pero también implicaría ir a favor del viento. Ya desde noviembre es usual que soplen los vientos alisios del norte o noreste. Y para la navegación en un pequeño bote, esto hace una gran diferencia. En la época de "verano" (diciembre a abril) los vientos suelen soplar con fuerza, lo que ocasiona que a veces el río se agite con olas que pueden alcanzar un metro o más. Navegar en contra del viento, en dirección general oeste → este, si bien a favor de la corriente, sería ir en contra de las olas, lo que traería consigo saltos frecuentes, bruscos y muy incómodos tanto para el bote como también para sus ocupantes. Si se va en cambio a favor del viento, se navega en la dirección de las olas, casi montado sobre ellas y su impacto en el bote es muchísimo menor, haciendo que la travesía se vuelva más suave, aún con el río alborotado.

En un principio ideé la ruta de forma de partir con un pequeño bote desde el río San Juan, al noreste del estado Monagas, seguir su curso río abajo hasta su desembocadura al norte del delta del Orinoco, y navegar a continuación por los caños y brazos del delta hasta alcanzar el río Orinoco como tal, a la altura de Barrancas. De allí, continuar río arriba hasta Puerto Ayacucho, en el estado Amazonas, donde el río es interrumpido por los conocidos raudales de Atures. Un recorrido de más de 1000 km con un tramo corto a mar abierto en la Boca de la Serpiente, frente a la isla de Trinidad.

Luego de examinar con más detalle la travesía que yo mismo había propuesto, me di cuenta que tomaría demasiados días en recorrerla, y seguramente mi compañero de viaje no iba a disponer de tanto tiempo.

Accedí a un primer recorte. En vez de salir del río San Juan, partiríamos más bien de la localidad de San José de Buja, en el caño del mismo nombre, que viene a desembocar en pleno delta en el caño Mánamo. El plan era partir de aquella localidad, navegar por el estrecho caño unos 50 km (ya lo conocía, pues lo exploré en el año 1988 en una de mis primeras expediciones al delta del Orinoco), llegar al Mánamo y continuar hasta Tucupita.

De allí navegar hasta "El Tapón", lugar en el que se construyó un dique para evitar que la bora o lirio de agua (eichhornia crassipes), planta invasora que se reproduce a una tasa increíblemente alta, pasara hacia el resto del río. En El Tapón habría que sacar el bote del agua con su contenido, y llevar todo a cuestas unos 200 metros hacia el otro lado, cruzando la carretera que pasa por el medio, para volver a echarlo en el agua. De allí entonces se seguiría río arriba hasta el destino final.

Nuevamente ya en octubre, y por razones de logística, me vi obligado a aplicar un nuevo recorte a la expedición. Saldríamos esta vez de la población de Barrancas, en la primera parte del delta, para llegar ya no a Puerto Ayacucho, sino al río Cinaruco (o Sinaruco como algunos lo escriben) en su punto de cruce con la carretera Trans Apure.

Decidido que ya este sería el recorrido definitivo, comencé por ir preparando la ruta. Con ayuda de algunos planos de la Dirección de Cartografía Nacional elaborados en los años 70, a escalas 1:500000 y 1:250000 que cubrían casi toda la zona a explorar, y del programa Google Earth, fui trazando poco a poco la ruta dividiéndola en tramos de aproximadamente un día de navegación.

Determiné puntos claves en el recorrido, tales como desembocaduras de afluentes, entradas o salidas de canales, poblaciones ribereñas, cambios bruscos en la dirección del río, islas y otros accidentes geográficos o hidrográficos. Para cada uno de esos puntos encontré sus coordenadas geográficas y las registré en el GPS, de modo de ir marcando hitos en la ruta a seguir.

Además, incluí caseríos, pueblos o localidades apropiadas para aprovisionamiento de combustible, comida, hielo y cualquier otro artículo o servicio necesario.

Una descripción escrita, moderadamente detallada de la ruta (ya una vez en pleno río hubiésemos deseado más detalle), con recomendaciones e ilustrada con mapas tomados de Google Earth, dio forma final al trabajo. Dos meses tomó elaborar el dossier de documentación del viaje que guardé en una cómoda y práctica carpeta impermeable.

La siguiente parte de los preparativos consistía en saber qué íbamos a llevar: combustible suficiente para poder recorrer grandes distancias sin reabastecimiento; comida perecedera y no perecedera; hielo, agua, primeros auxilios, ropa y enseres personales. Además, las dos carpas, los sacos de dormir o colchonetas y otros accesorios como una pequeña cocina de gas con bombonas de repuesto, chalecos salvavidas, equipo de fotografía, botas impermeables de goma y misceláneos.

Por el pequeño tamaño del bote era preciso ahorrar el máximo en espacio y peso del equipaje. Decidimos llevar dos cavas: una pequeña para guardar hielo y alimentos que requiriesen refrigeración como queso, jamón, yogurt o avena líquida y una más grande que contuviese el resto de la comida: pasta, galletas, pan, enlatados, granos, algo de fruta, platos y cubiertos plásticos y otros. Esta segunda cava, aunque no fuese refrigerada, garantizaba protección a su contenido contra la posible lluvia.

Dos morrales pequeños contendrían las linternas, las cámaras fotográficas, los primeros auxilios, el GPS, baterías de repuesto, fósforos, teléfonos celulares y en general todo lo que fuese "High Tech Electronic".

Rubén llevaría un morral grande con su ropa y saco de dormir, un bolso pequeño con bebidas enlatadas o embotelladas y un "koala" con su navaja multiuso y otros objetos pequeños. Yo por mi parte incluiría un pequeño bolso flexible, impermeable, con mi ropa, sandalias y objetos personales.

Cuatro botellas plásticas de agua de 5 litros cada una, dos de litro y medio para ir trasvasando de las grandes, un tubo plástico impermeable donde iban los mapas de cartografía, los repuestos y accesorios del motor y del bote, un machete y una lona plástica multiuso completarían el equipaje.

A todo esto, se sumarían los tanques de gasolina: uno metálico de 25 litros conectado siempre al motor y 4 de reserva (uno de 35 litros, otro de 25, un tercero de 22 y un último de 10, para un total de 117 litros) más 6 envases de aceite de dos tiempos de un litro cada uno. Además, los correspondientes accesorios como embudo y manguera para el trasvase de combustible.

El siguiente punto en la planificación era decidir cómo nos llevarían al sitio de partida y cómo nos recogerían al final del viaje.

Fijamos la fecha de salida para el 02 de enero de 2008, un miércoles. Junto con mi esposa María Paula y su amiga María Amparo viajaríamos de Caracas a Puerto Ordaz donde pasaríamos esa primera noche. A la mañana siguiente (03 de enero) iríamos a Barrancas, donde armaríamos el bote y partiríamos con la mayor parte del equipaje. María Paula y María Amparo regresarían a Puerto Ordaz, mientras nosotros haríamos el primer tramo en el río: Barrancas → Soledad.

Al día siguiente, 04 de enero, debíamos encontrarnos hacia el mediodía con María Paula y María Amparo en Soledad, frente a Ciudad Bolívar, donde nos darían el resto del equipaje. Luego nosotros continuaríamos río arriba, mientras María Paula y María Amparo regresarían a Caracas. Días más tarde, el jueves 10 de enero, nos recogerían finalmente a orillas del Cinaruco en el estado Apure.

La coordinación del recorrido lucía muy bien en el papel, pero había que dejar espacio para posibles contratiempos. Como a lo largo del río había zonas en las que seguramente tendríamos señal de telefonía móvil, no faltaría oportunidad de avisar sobre cualquier novedad inesperada o cambio en los planes.

El transporte: Un bote inflable

El río Orinoco, al igual que los otros largos y caudalosos cursos de agua del planeta, ha sido recorrido en diferentes oportunidades y de las más diversas formas. Desde el aire sobrevolándolo, en grandes barcos o cargueros, siempre que su calado lo permita, y en toda suerte de embarcaciones, desde lanchas rápidas hasta curiaras, pasando por veleros, "voladoras" (lanchas de aluminio), bongos, canoas, peñeros y kayaks.

Recorrer la mitad del Orinoco en una moderna lancha rápida, en una esbelta curiara o canoa o inclusive en un bongo sería una aventura interesante, pero no tendría nada de extraordinario. De hecho, el medio de transporte cotidiano de los pescadores de esa parte del río es la curiara: una larga, sólida y estilizada embarcación de madera, cortada generalmente de un solo tronco de árbol, o metálica, a la cual puede colocársele un motor fuera de borda de hasta más de 40 HP (Caballos de Fuerza), pero que también puede hacerse desplazar sobre el agua con remos (canaletes) o pértigas.

Las "voladoras" o lanchas de aluminio ligeras, con motores desde 15 hasta más de 50 HP, también son comunes en el río, y con ellas pueden salvarse grandes distancias en corto tiempo, ya que pueden alcanzar velocidades de hasta el orden de 60 km/h.

Pero una de las cosas que más originalidad le dio a nuestra expedición fue el uso de una embarcación poco convencional para un río: un bote de "goma" inflable, cuyo empleo más bien se destina para aguas de mar, ya sea como bote auxiliar de un yate o una lancha deportiva grande, o bien como embarcación de servicio para actividades de submarinismo, rescate o inclusive como bote salvavidas de otras embarcaciones.

El asombro de pescadores y locales en los pueblos y caseríos costeros donde nos deteníamos con el bote inflable, en especial cuando se enteraban de dónde veníamos y hacia dónde íbamos, nos convenció de que todo el proyecto tenía un fuerte componente de originalidad.

Nos relataron sobre europeos que recorrían el río en kayak, deportistas fluviales en sus lanchas deportivas ultra rápidas, veleros improvisados, pero no recordaban haber visto que un bote como el nuestro, pequeño y de apariencia frágil y endeble (sólo apariencia, afortunadamente) desafiara las según ellos "traicioneras" aguas del Orinoco.

En mis expediciones a los ríos de Guayana utilicé las más de las veces también un bote inflable idéntico. A lo largo de los años ese bote fue deteriorándose, desgastándose y en más de una ocasión un roce con una piedra afilada o con una rama puntiaguda semi sumergida, o el mismo arrastrar del bote en tierra sobre un suelo rugoso, provocaron roturas, fracturas y orificios en distintas partes de su piso, también de goma, haciéndose necesaria su reparación con goma y parches especiales.

Realizar el viaje en ese mismo bote sin duda iba a significar un riesgo, pues si bien en un río mediano o pequeño y de aguas tranquilas, como en la mayoría de las afluentes del Orinoco, se rompía un parche y comenzaba el bote a hacer agua, el alcanzar la orilla o un sitio seguro no representaba mayor problema. Pero un contratiempo de este tipo en el medio del Orinoco, con fuerte viento, aguas turbulentas y a más de 2 km de cualquier orilla, no iba a ser nada agradable.

Decidí por lo tanto hacer una inversión para el viaje y adquirir otro bote. Y como la experiencia con el anterior fue tan satisfactoria, pues la elección fue comprar la misma marca y modelo de bote con las mejoras de una diferencia de 20 años. Adquirí un bote inflable marca Achilles de fabricación japonesa, de 3.65 metros de eslora (unos 12 pies), 1.62 metros de manga, 62 kg de peso y capacidad para 670 kg más motor.

El bote tiene 5 cavidades independientes que se inflan con una pequeña bomba de aire. El material de los tubos que se inflan, y que forman la estructura del bote, no es "goma" o plástico convencional, como suele decirse. Se trata de un componente altamente resistente llamado "Hypalon" fabricado por DuPont. El bote está elaborado con cuatro capas de ese material reforzado, a lo que se añade una capa de Neopreno en su parte interior.

Capa exterior reforzada de Hypalon

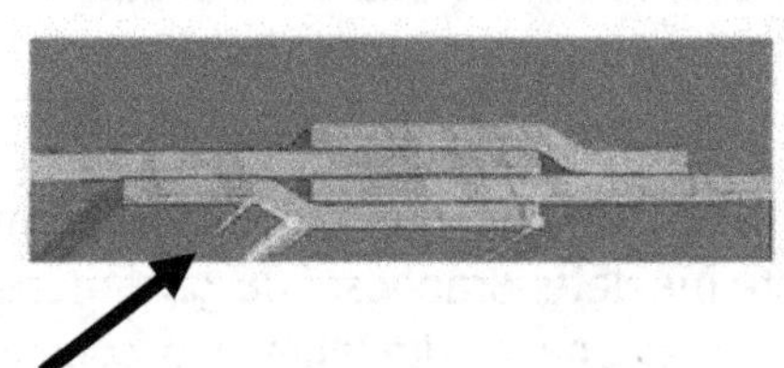

Costuras solapadas brindan especial solidez

Dos capas de Neopreno para garantizar total hermeticidad al aire

Las costuras se superponen formando una pared de una pulgada de grosor, y se adhieren con una pega especial para garantizar máxima resistencia.

El suelo o parte inferior del bote también es de Hypalon y tiene una cavidad pequeña, igualmente inflable, que sirve de quilla.

Sobre ese piso se colocan 5 maderas que le dan rigidez a la embarcación.

Aspecto del bote utilizado. Foto de catálogo de Achilles.

La parte posterior del bote consta de una plancha reforzada de madera sobre la que descansa el motor fuera de borda.

Cuerdas a lo largo de los bordes del bote, asas, remos con sus bases y un asiento de madera retraíble hacen el resto de la embarcación.

Utilizamos el mismo motor que he usado en muchas de mis expediciones fluviales: un fuera de borda Yamaha para servicio pesado ("Enduro") de 15 caballos, dos tiempos, al que le proporcioné adecuado mantenimiento antes de partir. Entre otras cosas, además de lubricarlo, cambiarle sus bujías y el aceite de "la pata", le coloqué un carburador nuevo, pues con el tiempo estas piezas tienden a ensuciarse por dentro debido a la adhesión de restos de combustible y aceite solidificados.

Equipados, pues, con este medio de transporte, fabricado más bien para aguas marinas y no para ambientes fluviales, pero con la experiencia de haberlo usado en todo tipo de ríos y embalses durante muchos años, quedaba tan sólo enfrentarnos al gran río en nuestra expedición de aventura.

Día 1: 03 de enero de 2008

Dificultades en la partida

Salida de Puerto Ordaz a Barrancas luego de desayunar. Habíamos llegado a mi apartamento en Puerto Ordaz la noche anterior desde Caracas. Ya estaba todo el equipaje en la camioneta donde prácticamente no cabía un objeto más. En el camino nos detuvimos poco después de pasar el puente Orinoquia, a la derecha, a inspeccionar un "puerto" (más bien lo llamaría un pequeño embarcadero de tierra) que no está en funcionamiento, y que se accede a través de una corta carretera semi abandonada que conduce a la costa del Orinoco. Desde allí, al otro lado del río, se divisan las instalaciones de SIDOR. Estuvimos inspeccionando el sitio unos minutos y pensamos que, en caso que por alguna razón no pudiésemos salir de Barrancas, podríamos echar el bote en ese lugar.

Llegada a Barrancas a eso de las 10 a.m. con un día muy nublado y tras sucederse intermitentes lluvias y lloviznas. Una vez en Barrancas nos dirigimos al embarcadero, y logramos llenar un tanque de gasolina pequeño de 10 litros que teníamos aún vacío, con permiso del guardia nacional de turno, pues la distribución de gasolina estaba militarizada.

El embarcadero de Barrancas y sus alrededores lucía sucio, descuidado y el único sitio apropiado para el desembarque, una rampa de tierra, estaba ocupado por barcas apostadas en la orilla, automóviles y pequeños camiones descargando mercancía, además de una multitud de gente entre pescadores, indígenas Warao, comerciantes y simples observadores. En vano pudimos hallar un sitio adecuado para armar y lanzar el bote, así que decidimos regresar y buscar otro lugar. Tal vez el "puerto" que habíamos inspeccionado horas antes serviría de sitio de salida, si bien estaba ya aguas arriba de Puerto Ordaz.

Con una primera mala impresión, comenzaba el primer contratiempo del viaje. Si bien no saldríamos del punto planificado, era preciso salir ese día, a pesar del incidente, y del clima no favorable.

Tomamos nuevamente la carretera hacia Puerto Ordaz con la idea de partir del "puerto" inspeccionado anteriormente. Sin embargo, a poco más de media hora de Barrancas, y muy cerca de una localidad al borde de la carretera llamada "El pueblo Vaquero", nos encontramos con una vía secundaria hacia el sur que da a la población de Varadero del Limón. Decidimos probar suerte a ver si podríamos lanzar allí el bote.

Varadero del Limón es un pequeño caserío que colinda con un caño del Orinoco. Preguntamos a los lugareños, quienes nos indicaron que la orilla del río estaba a pocos metros del caserío.

Llegamos entonces a una pequeña elevación al final del pueblo, frente a un estrecho canal del río. En frente se encuentra un islote que impide ver el Orinoco como tal.

Después de colocar la camioneta en la loma cerca del terraplén que bajaba a la orilla, nos dispusimos a descargar accesorios y equipaje. No tardaron en aparecer los niños curiosos asombrados de ver poco a poco cómo íbamos sacando los objetos más diversos del auto y luego armando el bote de goma.

El ensamblado del bote es un proceso que, aún entre dos personas, puede consumir más de media hora. Se despliega primero la embarcación sobre una superficie preferentemente lisa y, aún desinflado, se le colocan las cinco tablas de madera que servirán de soporte al piso, cada una de ellas en un orden preciso.

A continuación, se van inflando poco a poco, con ayuda de una bomba de pie, las cinco recámaras, teniendo especial cuidado de aplicar la presión de aire lo más uniformemente posible para no romper la membrana interna que separa un compartimiento del otro. Se cierran las válvulas de aire, y se lleva la embarcación al agua para colocarle el motor y cargar el equipaje.

Una vez en el agua, con el motor en su sitio y probado, les ofrecí una pequeña vuelta por el caño a los niños para saciar su curiosidad, lo que constituyó el recorrido inaugural del bote. Otras personas del pueblo observaban desde la pequeña loma.

Montamos a continuación todo el cargamento en el bote (excepto dos tanques de gasolina y dos botellones de agua que nos darían María Paula y María Amparo al día siguiente cuando nos encontrásemos en Soledad), y nos despedimos para confiarnos río arriba en lo que era el comienzo de este ambicioso recorrido.

El punto de salida fue:

N 8º 32′ 53″ W 62º 27´ 38´´

exactamente a la 1:51 p.m.

Foto 1: partiendo de Varadero del Limón.

A los pocos minutos salíamos del estrecho canal y estábamos en el río. Se dice que Cristóbal Colón afirmó en una de sus narraciones sobre los viajes a América:

"El Orinoco sale del Paraíso"

Nos disponíamos a comprobarlo.

Con cielo nublado y viento moderado nos encontramos ya en un principio con el río alborotado con olas de casi medio metro. Afortunadamente íbamos río arriba (contra corriente), pero a favor del viento, por lo que las olas no eran mayor problema, al menos en ese momento.

Lo primero que vimos fue una instalación de descarga de mineral, tipo grúa, en la ribera derecha(1) (norte) del río. La alcanzamos en cosa de media hora, y seguimos, torciendo a la ribera sur del río.

Al acercarnos a la costa sur del río fue apareciendo ante nosotros una gran isla rodeada de bancos de arena. Decidimos navegar en el canal formado entre el margen sur del río, y la costa sur de la isla, pero más adelante el canal estaba cerrado por bancos de arena y tuvimos que regresar. Fue el primer contratiempo estando en el río, que nos costó una media hora. Además, pudimos experimentar la gran diferencia que hay entre navegar a favor o (como en este caso) en contra del viento. Fue preciso aminorar la marcha para poder enfrentar el oleaje contrario.

Dimos la vuelta, rodeamos el borde este del brazo de arena de la isla, y continuamos por el río entre la ribera norte y la costa igualmente norte de la isla con sus bancos de arena. En más de una ocasión encallamos en los bancos de arena, difíciles de visualizar por lo oscuro de las aguas. Continuamos, al tiempo que comenzó a llover ligeramente. Toda el área estaba nublada y se veían nubarrones grises acercándose desde el este en la dirección del viento (este → oeste).

Poco antes de las 4 p.m. pasamos frente a Los Barrancos, pueblo en el estado Monagas situado en la ribera norte, frente a la población de San Félix en el margen sur. Nos dimos cuenta que el servicio de chalana tradicional Los Barrancos a San Félix continúa funcionando, a pesar de que ya está en operación el puente Orinoquia.

---

(1) Las riberas o márgenes de un río se nombran mirando en la dirección de la corriente del río. Según esto, por ejemplo, Ciudad Bolívar está en la ribera derecha del Orinoco. No obstante, en este libro, y por comodidad, la denominación de las riberas se hará en base a la dirección en que viajábamos, es decir, contracorriente o río arriba. De esa forma Ciudad Bolívar, por citar el mismo ejemplo, está en el margen izquierdo, o lo que es igual, mirando el río en dirección contraria a la corriente, está a mano izquierda. En algunas oportunidades se hablará también de ribera norte, o sur, o este... en cuyo caso la denominación ya no depende de la dirección en que se viaje.

Luego de las 4 p.m. pasábamos frente a P. Ordaz. La idea original de la ruta era navegar por la ribera sur del Orinoco, de manera de encontrarnos con la boca del Caroní. Sin embargo, los bancos de arena, lo agitado del río y la experiencia del caño sin salida nos mantenía más bien costeando la ribera norte, así que tuvimos que conformarnos con observar P. Ordaz desde unos pocos kilómetros.

A medida que avanzaba la tarde, el cielo se tornaba cada vez más gris y se veían chubascos en varias zonas alrededor de nosotros. Puerto Ordaz lucía casi sumergida en densas nubes grises que pronosticaban lluvia segura.

Justo frente a esa ciudad, el río sufre un ensanchamiento de más de 8 km para dar cabida a la isla Fajardo, con una longitud de casi 12 km. Por el comienzo de la isla pasa la línea fronteriza entre el estado Monagas y el estado Anzoátegui.

Comenzamos a rodear la isla por su lado norte. A medida que avanzábamos, su costa se hacía arenosa, así que, dada la hora, decidimos pasar la primera noche en una de sus playas.

Nos orillamos en el lado derecho de la isla en una zona en que el río va en la dirección sur. El punto exacto del campamento 1 fue:

N 8º 22’42 W 62º 46´55

Decidimos desmontar el motor del bote, sacar casi toda la carga y el bote también fuera del agua, y colocarlo detrás de unos arbustos a pocos metros de la orilla, de forma que no se viese fácilmente desde el río. Siendo todavía de día, armamos el campamento y nos dispusimos a cenar.

El sitio, aunque en el medio del río, estaba rodeado de "civilización". Hacia el suroeste, a pocos kilómetros, se observaban las luces de la zona industrial de Matanzas, y hacia el fondo, de vez en cuando, el resplandor de las coladas de hierro. Luego, hacia la ribera norte, se veían las luces de la planta forestal MDF ("Medium Density Fiberboard") situada en el estado Anzoátegui. Y también al fondo se divisaba el reflejo de las luces del puente Orinoquia.

Durante el anochecer, y en las primeras horas de la noche, varias embarcaciones (incluyendo remolcadores y buques de mediano calado) pasaron frente a la isla, si bien por el canal de navegación situado más bien hacia la ribera opuesta (norte) a casi 1 km de donde nos encontrábamos.

Por lo general, al acampar en sitios silvestres, la noche se cubre de sonidos producidos por los animales de la zona. En nuestro primer campamento los ruidos provenían más bien del suave oleaje del río rompiendo en la playa, al que se le añadía un monótono susurro de fondo causado por la industria pesada cercana.

Antes de las 8 p.m. estábamos en nuestras carpas dispuestos a dormir. Más tarde, una corta y suave llovizna cayó sin mayores contratiempos.

Sitio del primer campamento en la isla Fajardo. Se observa abajo a la derecha la boca del río Caroní.

Día 2: 04 de enero de 2008

Entre puente y puente

Me despierto poco antes de las 4 a.m. sin poder ya dormir. La primera noche, y más en un viaje como este, siempre se convierte en una noche larga. Acampar en una isla desierta en el medio del Orinoco, delante de la cual pasaban grandes embarcaciones, y rodeada a pocos kilómetros por una ciudad y una inmensa zona industrial no era precisamente la clase de experiencia que normalmente se persigue al explorar sitios recónditos. Si, estábamos en el Orinoco, pero próximos a la región más poblada del río. Mi deseo era partir con rapidez para alcanzar territorios más desolados.

Poco antes del amanecer emergió la luna, que se encontraba en la fase final de cuarto menguante. Como sabía que no iba a poder dormir más, recogí con calma el campamento, aún de noche. Poco después de las 6 a.m. comenzó a hacerse de día.

Desperté a Rubén, quien también comenzó a desmontar el campamento. Poco a poco fuimos guardando todo, llevándolo de nuevo al bote, y apenas pasadas las 7:30 a.m. marchábamos río arriba con un cielo casi totalmente cubierto. Ese día debíamos llegar a primeras horas de la tarde a Soledad, donde María Paula y María Amparo nos esperarían, como habíamos acordado, con dos bidones de gasolina, agua y algunas provisiones.

Comenzamos a navegar manteniéndonos siempre costeando la ribera derecha (norte) y rodeando enormes gabarras y cargueros. Del otro lado se erguía en colores rojizos, opacados por la espesa capa gris de nubes, la zona industrial de Matanzas. A pesar de lo cargado del cielo, no parecía que fuese a llover.

Pasamos frente al sitio ("puerto") que habíamos inspeccionado el día anterior, paraje que reconocimos fácilmente, y cuya localización es:

N 8º 20'14 W 62º 48´49

Continuamos, y al rato teníamos en frente el recientemente construido puente Orinoquia. Lo cruzamos lentamente por debajo para observarlo y fotografiarlo.

Foto 2: autor preparando la partida en playa en la isla Fajardo con vista a la zona industrial de Matanzas.

Se trata de un puente atirantado de hormigón y acero, una de las obras de infraestructura más importantes de la zona. Une a los estados Bolívar y Anzoátegui, convirtiéndose en la segunda estructura en ser levantada sobre el Río Orinoco, después del Puente de Angostura, por el que pasaríamos esa misma tarde. Tiene una extensión de 3156 metros, cuatro torres principales de 120 m de altura, 39 pilas, dos estribos, 388 pilotes, una altura libre máxima sobre el nivel de aguas de 40 metros y un ancho total del tablero de 24.7 metros, con cuatro canales de circulación más una trocha ferroviaria.

Foto 3: a pesar de lo nublado no parecía que fuese a llover.

Proseguimos después de pasar el puente por la ribera norte. Pronto nos llamó la atención una isla cubierta de arena donde nos detuvimos. Nos bajamos del bote a inspeccionarla y fotografiarla.

Era una enorme extensión de arena, que sin embargo no lucía con toda su belleza debido al cielo cargado de nubes grises y con constante amenaza de lluvia.

Después de unos quince minutos seguimos. Eran las 9:10 de la mañana. Apareció al poco rato la isla de Mamo. En un principio la ruta hecha sugería pasar por el canal que se forma entre esa isla y la ribera norte del río, pero por razones de acortar distancia decidimos rodearla por afuera, lo que nos impidió ver la boca del caño Corrientoso.

Más adelante otra isla, Bucare, nos salía al paso y en esta ocasión también decidimos rodearla en vez de navegar por el canal interno, igualmente con el fin de ahorrar espacio y tiempo, pues ese día debíamos llegar sin falta a Soledad lo antes posible.

Foto 4: instalación de carga de mineral en la ribera norte del Orinoco, estado Monagas.

Foto 5: boyas como esta marcan el canal de navegación a buques de gran calado a lo largo del bajo Orinoco.

Foto 6: autor fotografiando el paisaje al amanecer de un día nublado.

Foto 7: aspecto de una de las bases del Puente Orinoquia.

Foto 8: inspeccionando la embarcación en una playa solitaria.

Seguimos navegando por la ribera norte, y pasamos frente a un pequeño caserío en ese mismo margen, situado en las coordenadas:

N 8º 14' 38 W 63º 20´ 06

Más adelante el río se estrecha en la localidad de Angosturita, sitio que se aprovechó para trazar el tendido de las líneas eléctricas de 400 kV que van desde la represa del Guri hacia la sub estación El Tigrito, más al norte en el estado Anzoátegui.

El reloj de Rubén marcaba las 12:45 después del mediodía. Por el teléfono móvil avisamos a María Paula y María Amparo que en aproximadamente una hora llegaríamos. Ya ellas se encontraban en Soledad esperándonos.

A pocos kilómetros de ese lugar nos acercamos a la población de Ciudad Bolívar navegando más lentamente por la presencia de islotes rocosos en la zona. Famosa es la conocida "Isla del Medio", una piedra de respetable tamaño situada en el medio del río frente a Ciudad Bolívar y que sirve de referencia de nivel de aguas a los lugareños. La isla se encontraba bastante descubierta debido a esta temporada del año (enero), en la que la estación seca comienza a dominar la región.

Nos detuvimos en un punto en la orilla derecha a completar el tanque principal del bote con gasolina tomada de uno de los tanques de repuesto, de manera de vaciar en lo posible los tanques auxiliares para recargarlos poco después al arribar a Soledad. El procedimiento para llenar el tanque principal a partir de un tanque auxiliar toma por lo general unos 15 minutos. Es preciso primero calcular la cantidad de litros que se van a trasvasar para entonces determinar qué cantidad de aceite se echará en el tanque. La mezcla aceite – gasolina se hace en una proporción aproximadamente de 1: 60 (1 litro de aceite de para motor de dos tiempos por cada 60 litros de gasolina). Luego la gasolina se deja llevar del tanque de repuesto al tanque principal mediante un pequeño tubo plástico, por gravedad.

Ya finalizada la operación de trasvase de gasolina, seguimos, y a los pocos minutos llegamos a Soledad en la ribera norte frente a Ciudad Bolívar. María Paula y María Amparo nos habían divisado desde la terraza de un restaurante que está unos metros arriba de la orilla del río y nos saludaban con los brazos. Eran aproximadamente las 2 de la tarde.

Nos acercamos a la orilla de tierra, junto a otras curiaras y a una lancha que hace servicio de pasajeros entre Soledad y Ciudad Bolívar.

Bajamos uno de los tanques de reserva, que ya estaba vacío, para llenarlo en una estación de servicio cercana. María Paula y María Amparo nos tenían listos dos tanques más llenos: uno de 25 y otro de 22 litros, además de hielo para sustituir el del cava ya casi derretido, dos botellas de agua de 5 litros cada una y algo de fruta.

Aprovechamos la ocasión Rubén y yo para ir a comer en el restaurante donde María Paula y María Amparo habían almorzado mientras nos esperaban. Entretanto ellas se quedaron cerca del bote, para cuidarlo, pues, aunque el sitio se veía relativamente seguro, no había que confiar del todo en la gente local.

Comimos rápidamente para que no nos cayera la tarde encima cerca de esa zona tan poblada. Un pescado frito de aguas locales acompañado de arroz y tajadas fue el plato del momento. Hacía calor bajo un sol que doblegaba aún al más acostumbrado, pues ya las nubes habían desaparecido. Cerca de las 3 de la tarde ordenamos las cosas en el bote, nos despedimos y continuamos rumbo al cercano Puente de Angostura. La tarde seguía soleada. María Paula y María Amparo, por otro parte, se irían a Caracas deteniéndose en el camino para dormir esa noche en Barcelona.

El puente de Angostura, ya visible desde antes de llegar a Soledad, nos recibía a los pocos minutos de zarpar. Tomamos las fotos de rigor y cruzamos a la ribera sur del río.

El Puente Angostura, primero sobre el Orinoco, fue inaugurado el 6 de enero de 1967. Al momento de su finalización era el noveno puente colgante más largo del mundo y primero de Latinoamérica.

Tiene una longitud de 1678 metros, cuatro canales de tráfico a una altura de 17 metros, 14.6 metros de ancho, y en su punto más alto se eleva a 57 metros por encima del río. Posee dos grandes torres de acero que soportan el tendido de las guayas tensoras y que alcanzan 119 metros de altura.

Esa tarde el río estaba nuevamente agitado, así que la navegación se volvió un poco más lenta. Por lo general la velocidad promedio del bote, con carga completa como íbamos en ese momento, apenas alcanzaba los 20 km/h, según marcaba el GPS, pero en esta oportunidad viajábamos un poco más lento, debido a lo fuerte de la corriente y las olas en el río.

Fotos 9 y 10: Puente de Angostura.

La ribera izquierda (sur) se presentaba con laderas empinadas y acumulaciones de rocas negras en la orilla, muy típicas de la zona de Guayana. En los siguientes kilómetros al oeste del puente de Angostura no había playas en ese lado del río.

El recorrido siguió sin novedad cerca de la ribera sur por casi una hora, avistándose a lo lejos a la izquierda un gran banco de arena. Al irnos acercando, nos dimos cuenta que se trataba del canal que separa la costa sur, de la isla Almacén, al final de la cual, y después de varios kilómetros, se encuentra la población del mismo nombre. El comienzo del canal estaba rodeado de extensos bancos de arena, y en especial del lado de la isla había un pequeño recodo ciego con extensas playas y planicies de arena blanca.

El conjunto de islas, blanca arena, río, ribera boscosa y una espléndida tarde constituía una combinación paisajística de resaltante belleza. Ya por la hora, aproximadamente las 5 p.m., y asombrados por lo espectacular del lugar, convenimos en establecer el campamento en ese sitio.

Luego de inspeccionar los alrededores arenosos, navegamos hasta el final del recodo, en un sitio resguardado de la corriente principal del canal y del río, y atracamos el bote en la arena. El sitio escogido tenía dos niveles. Uno inferior de unos pocos metros de ancho que colindaba con la orilla donde descansaba el bote, y donde yo decidí establecer mi carpa. A través de una pared de arena de poco más de un metro, se extendía en la parte superior un segundo nivel, abarcando una extensa planicie de fina arena blanca, donde Rubén se atrevió a armar su carpa para aprovechar el fresco de la brisa, que comenzaba a arreciar.

Levantamos el campamento bajo un viento respetable, pero con buen tiempo, si bien hacia el este se veían oscuras nubes acercándose. Rubén comentó si esa brisa sería presagio de una tormenta, a lo que le respondí que más bien creía que serían los Alisios típicos de la época de sequía que debía haber comenzado. Dos horas después la naturaleza le daría la razón a Rubén.

Exploramos la isla, tomando algunas fotos y observamos diferentes tipos de gavilanes que merodeaban por la zona, sin que pareciesen preocuparse mucho por nuestra presencia. Desde el extremo de la planicie arenosa se observaba a lo lejos, a unos 15 km, el puente de Angostura. Cenamos y después de una corta conversación el cansancio nos llevó a nuestras carpas poco antes de las 8 de la noche.

Fotos 11 y 12: gavilanes merodeando en la playa del segundo campamento.

Foto 13: fin de un día en el bajo Orinoco.

Mientras me disponía a dormir comencé a padecer de una leve pero constante tos, signo seguramente de una gripe que se avecinaba. No obstante, pensé que esa noche iba a poder descansar profundamente, pues el lugar elegido, además de tranquilo, estaba alejado de embarcaciones, industria y cualquier otro tipo de actividad humana.

Pocos minutos después de acostarme se desató un fuerte viento. Ya no era brisa. El aire hacía impacto sobre la carpa con repentinas ráfagas a velocidades que estimé por encima de los 50 km/h.

Dentro de la tienda, fue necesario que tomara las varas de sujeción con ambas manos e hiciese contrapeso con mi cuerpo, porque parecía que la carpa entera se iba a desmoronar. Unos 15 minutos duró este temporal y luego, bajo un cielo totalmente blanco, comenzó a llover, sin que el viento disminuyera.

Afortunadamente no tenía la puerta de la carpa orientada hacia el viento, pero aun así por los cierres entró agua y se mojó la parte de inferior de mi colchoneta. Una toalla y un paño que llevaba no fueron suficientes para contener el agua.

Ahora era la fuerza del viento y del agua la que hacía tambalear peligrosamente la carpa, que yo debía sostener continuamente desde adentro con ambos brazos y oponiendo gran resistencia. Inútil era gritarle a Rubén para enterarme de su situación, pues el ruido del viento y la lluvia absorbían cualquier otro sonido. Me animaba pensando que, por lo general en la naturaleza, mientras más violento es un fenómeno, menos tiempo dura. Esperaba que también fuese cierto en el Orinoco.

A los pocos minutos la lluvia cesó y el viento se calmó. Aproveché para comunicarme desde la misma carpa con Rubén y preguntarle si tenía alguna novedad ante tal inesperado incidente meteorológico. Aparentemente había logrado soportar su carpa también el temporal.

Me dediqué entonces a secar la parte mojada del interior de la carpa lo mejor posible y disponerme de nuevo a dormir, cuando comenzaron de nuevo el viento fuerte y la lluvia, ahora hasta con más fuerza. Esta segunda parte del temporal duró algo más que la primera, y de nuevo me tocó sujetar con fuerza la carpa para que no se rompieran los tensores. Me recordó, en pequeña escala, el comportamiento de los huracanes: primero fuertes vientos, luego la calma aparente del "ojo" del huracán, y después la segunda parte nuevamente con vientos veloces.

Los ánimos no estaban precisamente altos después de esta experiencia. El viaje apenas comenzaba y el clima era totalmente adverso. No sólo los vientos continuos y la lluvia en la noche, sino que, durante el día, la mayor parte del tiempo estaba nublado y con la amenaza latente de lluvia en cualquier momento. Como Rubén me confesaría más tarde, la intención de interrumpir el viaje y regresar anticipadamente pasó más de una vez por su mente (y también por la mía).

A eso de las 10 de la noche se calmó el vendaval, se despejó el cielo y hasta salieron las estrellas. Aprovechamos para tratar de descansar, cosa que por mi parte fue difícil pues la gripe arreciaba con síntomas de tos y carraspera.

Mientras intentaba conciliar sueño me asombraba de cómo era posible que, en esas fechas de principios de año, cuando ya la sequía debía haber invadido la región y las lluvias haber menguado casi por completo, pudiesen todavía originarse días enteros con precipitaciones intermitentes y, más sorprendente aún, violentos fenómenos climáticos como el que acabábamos de experimentar.

Pensé que seguramente se trataba de una zona de baja presión proveniente del Atlántico tropical, que se propagaba impulsada por el viento del este, y aprovechando la ausencia de obstáculos significativos, se deslizaba sobre la zona del Delta y hacia adentro del río. Deduje que a medida que nos internásemos río adentro, nos alejaríamos de esa masa húmeda inestable. Habría que esperar a los próximos días para comprobar mi hipótesis. Finalmente, jugando con esos pensamientos, caí dormido.

El punto exacto del campamento 2 fue:

N 8º 07’43 W 63º 44´05

Día 3: 05 de enero de 2008

Encuentro con el majestuoso río solitario

A la mañana siguiente no pude levantarme al amanecer, como suelo hacer cuando salgo de excursión, porque un cielo cubierto amenazaba con lluvia otra vez y ya al alba se empezaron a desatar vientos fuertes. Y así fue; estuvo lloviendo acompañado de fuerte brisa durante casi una hora. De nuevo, si bien la fuerza del viento no era tan grande como en la noche anterior, tuvimos que apuntalar las carpas desde adentro con nuestros brazos.

A eso de las 8 a.m. cesó el temporal, se alejaron las nubes, y con ellas la lluvia, y salió el sol. Pudimos salir de las carpas, levantar el campamento, y con ayuda de la brisa y el sol, en cosa de una hora logramos secar casi todo lo que el agua había mojado desde la noche anterior. Dentro del bote también se acumuló un pequeño "charco" de agua que hubo que achicar.

Mientras esperábamos a que todo se secase, comentábamos sobre lo particular de la climatología en las últimas horas. Rubén era de la opinión que los fenómenos presenciados respondían a los cambios climáticos globales que afectan el planeta. Yo más bien opiné que se trataba de ciclos que dominan el clima terráqueo y que nos encontrábamos en uno de ellos, cuyo rasgo principal es un desplazamiento en el tiempo de las estaciones (húmeda y seca en estas latitudes tropicales), acompañado de un posible acortamiento de la estación seca, y el correspondiente alargamiento de la época de lluvias.

Quién tuviese o no la razón era secundario en nuestra posición. Lo importante era mantener la esperanza de que el clima mejoraría en los próximos días.

Desayunamos, marcamos el campamento en el GPS y salimos del "acogedor" recodo alrededor de las 9 a.m., rumbo al este.

Foto 14: al entrar el verano afloran enormes bancos de arena formando islas que pueden abarcar kilómetros de largo.

El día estaba totalmente nublado, lo cual por un lado era ventajoso pues no hacía calor ni teníamos que preocuparnos mucho por protegernos del sol. Por otra parte, sin embargo, el recuerdo de la noche anterior nos mantenía taciturnos ante la posibilidad que el clima no mejorase. Continuamos navegando por la ribera norte (derecha) del río, para evitar algunas islas y canales del lado sur. Primero bordeamos por su lado externo la isla Almacén, al final de la cual está la población del mismo nombre. Vimos desde el río unas pocas casas de ese poblado, y decidimos acercarnos para comprar hielo y caramelos. Rubén pisó tierra en el "embarcadero" y subió al pueblo con la cava. Sin embargo, hielo no había, así que regresó únicamente con unos caramelos que yo usaría para aliviar mi tos en la noche.

Cualquier viajero no conocedor de estos parajes bien pudiera pensar que estos pequeños poblados a orillas del río, como Almacén, tienen un origen reciente.

Pues nada más falso. La mayoría de ellos ya existían en el siglo XIX e inclusive más atrás, como se descubre, por ejemplo, en una de las obras literarias más fascinantes que se hayan escrito sobre este río: "El Soberbio Orinoco" de Julio Verne.

El eminente autor francés escribió esta obra a sus 70 años, en 1898 mientras languidecía el siglo XIX. Conocido por sus grandes sagas como Viaje al centro de la tierra o Veinte mil leguas de viaje submarino, este escritor, que actualmente podría encajar dentro del género de la ciencia-ficción o tal vez de la anticipación científica, inauguró con su Soberbio Orinoco un tópico literario: el de la ficción exótica.

Su auténtica contraparte, la América narrada por los americanos, tiene lugar en Rómulo Gallegos con la no menos soberbia Canaima (1935).

Con su novela de aventura exótica, Verne le devuelve al Orinoco el protagonismo que, desde Colón, viajeros científicos como Walter Raleigh o Alexander von Humboldt avizorarán para él.

Verne nunca salió de Francia a visitar los paisajes sobre los que escribía sus aventuras. En el caso de El Soberbio Orinoco sus fuentes se basaron en crónicas originales de los viajes de expedicionarios que sí recorrieron la zona, tales como el doctor Jules Crevaux o el viajero aventurero Jean Chaffanjon.

El tema central de la novela de Verne es el planteamiento que hacen sus protagonistas sobre cuál es el verdadero Orinoco a partir de la triple confluencia de este río con el Guaviare y el Atabapo, lo que da pie a un viaje a través del río para poder determinarlo.

En 1998 tuvo lugar en la sede de la Biblioteca Nacional de Caracas una exhibición bibliográfica de más de 1500 obras referentes a la cuenca del gran río, en ocasión de los 500 años de su descubrimiento. Varios autores aprovecharon esa oportunidad para señalar que el verdadero Orinoco era el Guaviare, aflorando nuevamente la discusión planteada en la novela de Verne y que, por lo tanto, el Orinoco-Guaviare tendría su nacimiento en Colombia.

Para basar su tesis alegaron, además de la superior longitud del Guaviare (1550 km) con respecto a la del Orinoco en el punto de confluencia (940 km), el hecho de que una vista aérea de la triple confluencia indicaba que las aguas oscuras del Orinoco casi desaparecen por completo ante el caudal superior del Guaviare. Se dio la cifra de que aguas abajo de la triple confluencia, casi el 60% del caudal procede del Guaviare frente a 40% del Orinoco.

Sin embargo, la tesis puede ser exitosamente refutada si se toma en cuenta lo siguiente:

- Es cierto que el Guaviare es más largo, pero no lo es más caudaloso.
- El nombre de los ríos es una cuestión de toponimia, no de longitud ni de caudal. Así, por ejemplo, el Mississippi es más corto y menos caudaloso que su afluente el Missouri; el Miño es más corto y menos caudaloso que el Sil, su afluente.
- El Orinoco es mucho más profundo y de mayor pendiente en el lugar de la confluencia. Siendo de igual anchura, el Orinoco es más caudaloso.
- Es cierto que aguas abajo de la confluencia el predominio de las aguas del Orinoco es de color blanco por los sedimentos del Guaviare. Pero es que el Guaviare es un río de los llanos que tiene una escasa

profundidad debido a la gran cantidad de sedimentos que arrastra, y en la confluencia sus aguas se superponen a las del Orinoco por llegar de un nivel ligeramente más alto. Esto puede demostrarse a partir de las imágenes satelitales, en las que se aprecia que luego de algunos raudales río abajo de la confluencia con el Guaviare, las aguas del Orinoco vuelven a lucir el aspecto y color oscuro característicos de las aguas provenientes del Escudo Guayanés.

Y volviendo a la cuestión de la edad de los pueblos y caseríos de las orillas del Orinoco, al referirnos en este caso particular a la localidad recién visitada de Almacén, narra textualmente Julio Verne en su obra:

"*Hacia la ribera izquierda el río presentaba numerosas ensenadas, con orillas cubiertas de árboles. Sobre todo, más allá del Almacén, aldeílla de unos treinta habitantes, y en el mismo estado aún en el que la había visto Chaffanjon ocho años antes.*

Por todos lados bandadas de monos, cuya carne comestible vale tanto como los bistecs de almuerzo, que en la comida volverían a aparecer sobre la mesa."

Sorprende la descripción tan exacta del río que, a excepción tal vez de la merma en la fauna en general, se corresponde con asombroso parecido a la existente en nuestros días.

Continuamos por el centro del río que, en el siguiente tramo, de unos 25 km, va de noreste a suroeste (corriente arriba). En este trayecto no se presentaron acontecimientos dignos de mención, si exceptuamos una parada que hicimos en una zona de rocas donde extendimos las carpas y parte de la ropa que aún estaban húmedas por el temporal de la noche y de la mañana anterior. Clima nublado, viento moderado y olas bajas fueron una constante en esta parte del recorrido.

Poco después del mediodía nos encontramos con un nuevo cambio de curso en el río. Esta vez este → oeste. Navegábamos cerca de la ribera izquierda (sur) que ahora se mostraba con salientes rocosos. Alcanzamos un primer promontorio, seguido de una pequeña ensenada en forma de medialuna. Luego un segundo promontorio rocoso y a continuación una ensenada abierta, igualmente en forma de medialuna, donde se encuentra la población de Borbón.

Avanzamos por la bahía (ribera izquierda) hasta dar con la boca del río Aro, que viene a drenar sus aguas en la ribera sur del Orinoco frente a un enorme banco de arena. Navegamos entre el banco de arena y la costa sur, para luego doblar a la izquierda, hacia el sur, y penetrar en el río Aro. Recorrimos este afluente por aproximadamente media hora, disfrutando de sus tranquilas aguas, muy diferentes a las del Orinoco. Luego dimos media vuelta y desembocamos de nuevo en el Orinoco, yendo un tramo río abajo para rodear el gran banco de arena. La diferencia de ir río abajo a río arriba se apreció inmediatamente de nuevo, no tanto por la corriente del río, sino por avanzar contra el viento proveniente del este, y por lo tanto contra las olas, lo que hacía la travesía un tanto incómoda por los saltos que daba el bote.

Foto 15: ...una parada que hicimos en una zona de rocas donde extendimos las carpas y parte de la ropa que aún estaban húmedas ...

Finalmente bordeamos la punta del banco de arena y nos enfilamos nuevamente río arriba, esta vez hacia el noroeste.

Más adelante el río se ensancha hasta unos 5 km y, viéndolo en el sentido en que navegábamos, pasa de orientación noroeste, a dirigirse hacia el suroeste.

En el punto de inflexión comienza una isla en la que se abren dos canales que confluyen varios kilómetros más adelante para formar uno solo que se une al río al terminar la isla. Pero como no sabíamos si algún banco de arena iba a tapar el canal, con riesgo que tuviésemos que dar la vuelta y perder preciado tiempo y combustible, nos detuvimos en la orilla sur poco antes de llegar a la isla a preguntar a unos pescadores locales sobre la mejor opción a seguir. Nos sugirieron que rodeásemos un banco de arena que teníamos a un kilómetro hacia el medio del río, lo navegáramos por su lado externo y siguiéramos.

Eso hicimos; retrocedimos navegando contra el viento, rodeamos el banco de arena, sobre el cual levantábanse enormes nubes de fina arena por la fuerte brisa, y anduvimos un trecho corto costeando el banco por su lado externo hasta sobrepasarlo. Al finalizar el banco, ya después de las 4 p.m., resolvimos buscar un sitio donde acampar. Primero intentamos en la ribera izquierda del río, pero había varias embarcaciones de pescadores estilo curiara en las cercanías y no queríamos compañía.

Cruzamos nuevamente hasta la isla – banco de arena que habíamos rodeado, cuya costa era de arena a todo lo largo. Pasamos una o dos curiaras con pescadores y nos establecimos finalmente en un punto donde la playa era ancha con grupos de arbustos hacia atrás.

En la maniobra de atracar con ayuda de los remos, Rubén puso el GPS en el bolsillo de su camisa y al desembarcar y colocar en la arena la lona que llevábamos, inadvertidamente el aparato se deslizó del bolsillo y cayó entre la lona y la arena sin que nos diésemos cuenta.

Más adelante pasamos un rato desagradable al descubrir que habíamos extraviado el GPS, creyendo que se había caído al agua. Luego de buscarlo afanosamente en todo cuanto sitio pudiese haber caído, inclusive en el agua alrededor del bote, le sugerí a Rubén que pisara cuidadosamente descalzo sobre la lona para ver si se hallaba debajo.

En efecto, el aparato había deslizado bajo la lona, y fue grande el alivio al encontrarlo, pues sin él la navegación se hubiese hecho, además de difícil, un tanto tensa por desconocer exactamente dónde nos encontraríamos. Me di cuenta en ese momento de cómo uno se hace dependiente de la tecnología. Quizá veinte años atrás igual hubiese intentado una expedición de esta magnitud, sin GPS, y hubiese sido de lo más normal. Pero nuestra ruta estaba escrita con múltiples referencias a coordenadas tomadas con el posicionador global, y su uso resultaba casi indispensable.

Esa tarde puse mi carpa alejada de la orilla unos 80 metros, protegida por unos arbustos que había en la parte de atrás de la isla. En caso que lloviese o hiciese fuerte viento, los arbustos servirían de barrera. Rubén, en cambio, armó su carpa cerca de la orilla, donde estaba el bote, exponiéndose más a la intemperie.

Al oscurecer se retiró una curiara que llevaba a cabo labores de pesca a unos 500 metros de donde estábamos y quedamos solos. Al menos en lo que alcanzaba la vista no se divisaba persona o embarcación alguna.

El anochecer discurrió sin novedad. Cenamos y al poco tiempo nos retiramos a las carpas. Eran pasadas las 7 de la noche. Sentía un profundo cansancio, tal vez no tanto debido a la jornada de viaje, sino a la gripe, que pasaba a una fase de congestión general de nariz y oídos.

Nubes grises que venían del este presagiaban lluvia. Efectivamente, comenzó a llover, pero esta vez la lluvia fue muy suave y breve. Se despejó el cielo y tuvimos una noche tranquila. El punto exacto del tercer campamento fue:

N 8º 04’26 W 64º 17´13

Día 4: 06 de enero de 2008

Mapire

Como de costumbre me despierto y levanto aún de noche, poco antes de las 6 a.m. No completamente recuperado de la fatiga del día anterior, me aseo, recojo el campamento poco a poco y despierto a Rubén con los primeros signos del amanecer. La noche da paso a un día aparentemente despejado, que sin embargo se nubla ligeramente antes de las 7 a.m.

La recogida del campamento por mi parte fue lenta, debido al cansancio. Además, tenía que llevar todas las cosas desde donde puse la carpa hasta la orilla, a casi 100 metros de distancia. Desayuno, colocamos las cosas en el bote, y a eso de las 7:30 a.m. zarpamos.

Los pescadores a los que habíamos consultado la tarde anterior nos habían indicado que podíamos adquirir gasolina en la localidad cercana de Moitaco, en la ribera sur.

Así pues, nos dirigimos a Moitaco, que alcanzamos en aproximadamente una hora y paramos en la orilla. El asombro de los pescadores locales no se hizo esperar al vernos en la pequeña embarcación de "plástico", como ellos la llamaban. Nos preguntaban de dónde veníamos y cuántos días teníamos navegando. Uno de ellos nos dijo que, con su curiara motorizada, el tramo de Ciudad Bolívar hasta Moitaco lo cubría en medio día. A nosotros nos tomó día y medio.

Rubén se bajó con un tanque vacío de 25 litros (ese fue nuestro consumo desde Soledad) y lo llenó. Igualmente adquirió en una bolsa algunos pedazos de hielo para la cava.

Mientras tanto yo hablaba con los pescadores, uno de los cuales me comentó que en el mes de agosto 2007 (en plena época de lluvia) se encontraron con un suizo que venía sólo bajando desde Puerto Ayacucho con un Kayak en una travesía de casi dos meses. El sujeto se quedó a dormir en Moitaco, y en otros pueblos, donde se aprovisionaba.

Nuestra aventura se empequeñecía al lado de tal hazaña, pero no por eso nos íbamos a desanimar. Simplemente era otro tipo de experiencia.

Julio Verne también nombra en su Soberbio Orinoco la población de Moitaco. Textualmente:

"*El steam-boat había anclado durante la noche en una de las dos bahías del pueblo de Moitaco. Cuando salió de ella, el coquetón conjunto de casitas, en otra época centro importante de las misiones españolas, desapareció tras un ángulo de la ribera. En dicho pueblo fue donde Chaffanjon buscó inútilmente la tumba de uno de los compañeros del doctor Crevaux,... tumba que no se pudo encontrar en el modesto cementerio de Moitaco*"

Preguntamos a los pescadores sobre el trayecto hasta Mapire, donde deberíamos llegar ese mismo día para aprovisionarnos. Nos dijeron que el tramo no era fácil, y que debíamos pasar por un estrechamiento del río (sector Malena) sobre el que cruzan las líneas de extra alto voltaje de 800 kV que vienen de la subestación del mismo nombre. Esa zona la llaman "El Infierno", pues es una parte rocosa donde hay grandes peñascos a lo ancho del río, y además se forman enormes remolinos que hay que atravesar con cuidado.

Con esas indicaciones zarpamos de Moitaco surcando por el medio del río, o hacia la ribera derecha. No se puede hablar aquí de ribera "norte", pues el río es muy sinuoso y cambia varias veces de dirección. Inclusive hay una zona en la que el río tiende a "regresarse", en tanto toma rumbo hacia el sureste. En el trayecto pasamos frente a Santa Cruz del Orinoco en Anzoátegui.

Parafraseando nuevamente a Julio Verne:

"*Durante el día se pasó por la aldea de Santa Cruz, compuesta de una veintena de casas, en la ribera izquierda,* - para nosotros sería ribera derecha en Anzoátegui – *y después por la isla Guanare ...*"

En esta zona el río se vuelve bastante monótono. Las riberas tienen pocos accidentes, y disminuyen las playas y bancos de arena. A veces, al mirar hacia delante, da la impresión de estar detenido, ya que el río se abre como si fuese el mar.

Un profundo letargo nos inundó durante lo que se convirtió en largas horas de navegación. Arrullado por el monótono y constante ruido del motor, me quedaba dormido mientras me aferraba instintivamente al mango del mando del motor, para despertarme unos minutos después y seguir con los ojos entreabiertos, cosa que se repitió varias veces, durante las cuales el bote iba a la buena de Dios por el medio del río. Pero una dosis de adrenalina se encargó de ponernos en estado de alerta al divisar a lo lejos las altas torres de transmisión para el cruce de las líneas que vienen de Malena. (sólo 3 ó 4 países en el mundo utilizan este eficiente sistema de transmisión de energía eléctrica a casi un millón de voltios)

Foto 16: ... a veces, al mirar hacia delante, da la impresión de estar detenido, ya que el río se abre como si fuese el mar...

Allí estaba "El Infierno", a una media hora de viaje todavía. A medida que nos íbamos acercando, el río se iba estrechando hasta que llegamos a ese sector. Ambas riberas mostraban colinas rocosas y de pronto cesó completamente el oleaje para dar lugar a una superficie de agua prácticamente lisa, pero con extensos remolinos.

Los remolinos cubrían el río de orilla a orilla. Con un diámetro de varios metros, giraban lentamente en forma de espiral hacia su centro. Lo acertado sería sin duda tratar de pasar encima de ellos por su borde, a la mayor velocidad posible, para vencer sus fuerzas tangenciales. Pero, al contrario, tuvimos que disminuir la velocidad drásticamente, pues había amenaza de rocas en todas partes y no podíamos arriesgarnos a chocar con un peñasco semi sumergido. Por lo oscuro del agua era imposible ver las rocas debajo de la superficie. La corriente era bastante fuerte, ya que el río sufría un estrechamiento al variar su anchura, obedeciendo a la ley de

Bernoulli, pasando de un ancho de varios kilómetros a unos cuantos cientos de metros, por los que debía pasar ahora todo su caudal.

El tramo no tendría más de 300 metros de largo, pero tardamos varios minutos en recorrerlo, maniobrando en contra de los remolinos a muy baja velocidad, si bien con el motor casi a toda marcha para lograr vencer la corriente y tratando de mantener el bote derecho.

Escribe Julio Verne sobre este sitio, que por lo visto aún conserva su toponimia:

"*Fue preciso franquear varios raudales, producidos por la estrechez del río en algunos puntos; pero esto, que ocasiona gran fatiga a los tripulantes de embarcaciones a remos o velas, no costó más que un aumento de combustible a los generadores del steam-boat. Las válvulas silbaron, sin que fuera menester cargarlas. La rueda agitó violentamente las aguas con sus grandes palas. En estas condiciones, tres o cuatro de estos raudales pudieron ser remontados sin gran retraso, hasta el Boca del Infierno, que Juan señaló más arriba de la isla de Matapalo*"

Logramos pasar sin contratiempos y sin encontrarnos con ninguna otra embarcación en el difícil trayecto y al salir, a los pocos minutos, avistamos en la lejanía la antena de la localidad de Mapire.

Luego de la zona de Malena, el río viró hacia el oeste franco. Unos 25 km separan la zona de cruce la de las líneas de Malena de la localidad de Mapire.

Costeando la ribera derecha (norte), poco a poco nos aproximamos a esa localidad sin novedad. Llegamos allí pasada la 1 p.m. Detuvimos el bote en la orilla, delante del malecón, y al lado de varias curiaras y peñeros.

Mapire es la capital del Municipio José Gregorio Monagas al sur del Estado Anzoátegui. Un pueblo que nace en el siglo XIX, con gente española y francesa, si bien originalmente el lugar era habitado por las tribus Araguakos y Caribes. Tiene actualmente poco menos de 1000 habitantes, su alcaldía y sus consejos comunales, además de escuela, liceo, templo (parroquia San Pedro) y luz eléctrica.

Una carretera en buen estado lo comunica hacia el norte con San Diego de Cabrutica, donde tiene lugar una intensa actividad petrolera. La gente de Mapire vive principalmente de la pesca, la agricultura y de los trabajos petroleros.

Foto 17: el puerto de Mapire en la ribera norte del Orinoco.

Lo primero fue buscar gasolina. Rubén se bajó con el bidón vacío de 25 litros y se dirigió a la estación de gasolina. Pero se encontraba cerrada. Preguntando, le dijeron que el operador había ido a almorzar y regresaría a las 2 de la tarde. Regresó Rubén al bote, nos bajamos y subimos por una rampa de tierra de unos 5 metros de altura hasta alcanzar al asfaltado del pueblo.

Foto 18: faena en el bote en el embarcadero de Mapire.

Al lado teníamos un pequeño restaurante con mesas en la terraza exterior desde donde se apreciaba una interesante vista del río, y además podíamos ver el bote. Ordenamos dos raciones de pescado frito (rayado) con sus respectivos contornos, y mientras esperábamos que se cocinase, casi media hora, fui a investigar el asunto de la gasolina. Averigüé que, por ser domingo - era día de Reyes además, 06 de enero -, el operador no regresaría, ya que la estación funcionaba todos los días excepto los domingos en la tarde.

Traté de comprar gasolina a un pescador que llegaba en un peñero con unos tanques sobrantes, pero hacía pocos minutos ya había vendido el combustible. Luego el mismo empleado del restaurante nos aseguró que en la localidad de Las Majadas, relativamente cercana, vendían gasolina hasta las 6 de la tarde. Me mostré escéptico, pero me insistió que él mismo había llegado de allá horas antes y que había una señora con 4 bidones grandes vendiendo el tan buscado combustible.

Almorzamos tranquilamente en el idílico pueblo. El pescado resultó muy fresco, y sorprendentemente económico. Tomamos algunas fotos y nos embarcamos nuevamente.

Hacia el suroeste esta vez nos conducía el río, rumbo a la localidad de Las Majadas donde arribamos a las dos horas aproximadamente. Eran alrededor de las 4 de la tarde.

Nos detuvimos en la playa de tierra del pequeño poblado, para nuevamente despertar el asombro y los comentarios de los pescadores. Rubén se bajó, y a pocos metros estaba una señora ya de edad surtiendo gasolina de un bidón grande y con ayuda de una manguera, tal como había relatado el dependiente del restaurante en Mapire.

Aspirando con la manguera llenó el tanque de 25 litros y otro de 35 litros de capacidad, parcialmente. Nuevamente disponíamos de la capacidad completa de nuestros tanques, unos 117 litros de combustible. De sobra para alcanzar Caicara, próximo punto de reaprovisionamiento.

De Las Majadas seguimos navegando por la ribera izquierda, y tras algunos minutos alcanzamos la enorme boca del río Caura de más de 2 km de ancho. Recodaba las innumerables veces que navegué y acampé en ese espectacular río hasta los imponentes saltos Pará, tierra de los Makiritare. Avanzamos, ya con la idea de ir buscando un sitio adecuado donde acampar esa noche.

Investigamos en un principio unas playas pequeñas en la ribera derecha, que sin embargo no nos convencieron. Luego nos dirigimos al medio del río, donde se levantaba una isla de arena de apenas unos centímetros de altura. Era un buen sitio para acampar, si no fuese por la posibilidad que el río creciese en la noche y se inundara la isla pues, aunque no había llovido desde ya hacía casi dos días, no sabíamos cómo era el estado pluviométrico en las cabeceras de los afluentes río arriba.

Fuimos de nuevo a la ribera izquierda (sur) y el sitio no tardó en aparecer. A unos 9 km en línea recta aguas arriba del río Caura encontramos en el franco margen izquierdo una playa arcillosa. La orilla consistía de una arcilla movediza, pero al caminar unos metros hacia adentro la arcilla se mezclaba con arena y se endurecía. En frente, a unos 2.5 km, se descubría justo sobre el agua la isla que desechamos.

Comenzamos a descargar todo del bote, aún de día, mientras en frente de nosotros dos curiaras preparaban faenas de pesca. Nos dimos cuenta que colocaban una especie de boyas, que consistían en botellas plásticas vacías unidas por cuerdas, de forma de construir una suerte de cadena de varios metros de longitud que flotaba en el río, de la cual en distintas partes colgaban otras cuerdas que terminaban en anzuelos con carnada.

El conjunto era amarrado a la orilla o anclado en el fondo del río. Esta operación se hacía generalmente al atardecer, y al amanecer se regresaba a buscar el fruto de la pesca. Apenas terminaron de colocar las "trampas", se marcharon y a los pocos minutos anocheció.

Poco a poco en el viaje el clima iba mejorando. Ya esa tarde, aunque se veían nubes en el horizonte, le aseguré a Rubén que no descargarían agua. Y así fue. Sea porque cada vez nos alejábamos más del océano y las nubes llegaban ya sin suficiente agua a donde estábamos, o sea porque realmente comenzaba la temporada seca, lo cierto es que en adelante no hubo más lluvia en el viaje.

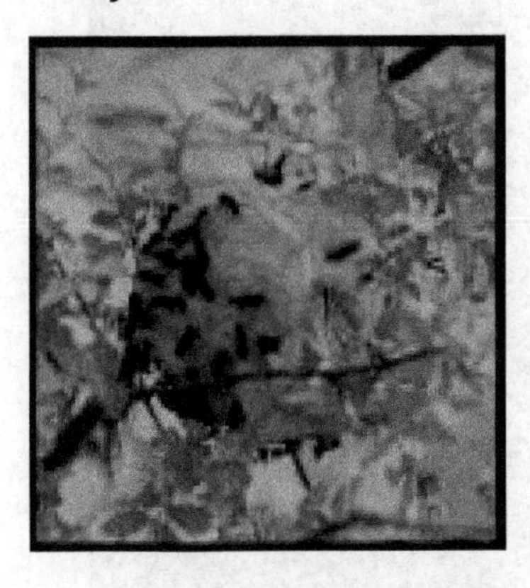

Foto 19: avispero en sitio de campamento.

Armé mi carpa detrás de un arbusto, sin observar que, en una de sus ramas, a una altura de escasamente 1 m del suelo, había un panal de avispas. Me di cuenta cuando casi echo mi toalla en las ramas para que se secase. No por eso cambié de sitio. Simplemente moví la carpa unos metros hacia atrás y ni yo ni ellas nos molestamos mutuamente en la noche.

Rubén se fue unos 50 metros hacia mi derecha, pues la playa, aunque estrecha, era bastante larga como para dar cabida a las dos carpas muy holgadamente.

Foto 20: atardecer aguas abajo de la boca del río Caura

La pasta que cocinábamos usualmente cada noche fue sustituida esta vez por sándwiches y enlatados, en tanto el cansancio nos agobiaba y no teníamos ganas de cocinar ese día. Conversamos un rato y nos acostamos temprano. Desde la localidad donde estaba tenía algo de señal en el celular y logré comunicarme con María Paula para indicarle nuestra situación y posición. Poco después me di cuenta que estábamos aproximadamente a mitad del trayecto. El punto exacto del campamento 4 fue:

N 7º 39'56 W 64º 57´36

ía 5: 07 de enero de 2008

orres de transmisión: entre las más altas del mundo

Hoy es lunes. Me levanté aún de noche, pero a los pocos minutos comenzó a aclarar. La noche fue tranquila y sin contratiempos y ya empezaba a dormir casi corrido. Este día tendríamos que recorrer una distancia considerable, y debía rendirnos. Nos proponíamos llegar hasta las proximidades de Caicara. Estábamos en este momento prácticamente en la mitad del viaje, tanto en distancia, como en tiempo.

Salimos antes de las 8 de la mañana y comenzamos a navegar con cielo parcialmente nublado. El río se dirigía un buen trecho hacia el noroeste.

La travesía durante la mañana se hizo nuevamente un tanto monótona, pero navegamos casi sin parar en una región donde el paisaje no cambiaba apreciablemente. El río lucía inmenso con orillas bajas, sin accidentes geográficos dignos de mención, lo que nos hacía sentir que estábamos casi detenidos. A eso del mediodía se rompe la monotonía al encontrarnos con una zona con numerosos bancos de arena e islas. La navegación no iba a ser fácil, pues se abrían muchos canales grandes y podíamos fácilmente entrar en una "calle ciega". Con ayuda de la ruta impresa y sus fotos, y también del GPS, fuimos exitosamente sorteando los enormes bancos de arena y las islas, tomando como referencia la ribera norte. A la altura de estos laberintos cruzamos, sin percatarnos, el límite estadal entre los estados Anzoátegui y Guárico, teniendo de ahora en adelante el estado Guárico a nuestra derecha. Más adelante nos detuvimos en un pequeño recodo arcilloso a trasvasar gasolina. Arriba del recodo se extendían los llanos del sur de Guárico y cerca había una pequeña casa. Un llanero y su hijo aparecieron con un tanque de fumigación de esos que se colocan en la espalda, y con ayuda de un bidón metálico comenzaron a mezclar el insecticida. Nos saludamos muy parcamente y permanecieron observándonos suspicaz- y desconfiadamente mientras trasvasábamos la gasolina.

Una vez terminada nuestra tarea nos despedimos tan secamente como nos habíamos saludado y continuamos.

Zona de islas y bancos de arena con la ruta propuesta marcada.

A principios de la tarde pasamos frente a la población de La Bonitas, pequeño caserío del lado de Guayana. También habla de él Julio Verne en su libro:

"Pero por aquella vez no hubo percance que lamentar, y por la noche el steam-boat ancló en el fondo de una ensenada de la ribera derecha, en el lugar llamado Las Bonitas.

En Las Bonitas, su residencia oficial, vive el gobernador militar, del que depende el Caura, es decir, territorio regado por ese importante tributario. El pueblo ocupa, en la ribera derecha del río, el sitio que en otra época poseía la misión española de Altagracia"

Fotos 21, 22: el río entre bancos de arena e islotes en su discurso hacia Caicara del Orinoco.

Interesante, además, lo que el mismo autor escribe líneas más adelante describiendo los pueblos de la zona, descripción que asombra por su gran parecido a lo que realmente hoy día, después de más de 100 años, sigue siendo valedero:

"*Un pueblo en esta parte de Venezuela está formado por algunas casas esparcidas en el bosque y ahogadas en la espesa verdura de la zona tropical, y allí se agrupan magníficos árboles, prueba de la poderosa vegetación del suelo; chaparros de retorcido tronco, como el de los olivos, cubiertos de hojas consistentes y de fuerte olor; palmeras copernicias de extendidas ramas, formando gavillas y desplegadas como abanicos* (copernicia tectorum es el nombre botánico de la conocida popularmente como palma llanera)*; palmeras moriches (mauritia flexuosa), que constituyen lo que se llama el morichal, es decir, un pantano, pues tales árboles tienen la propiedad de extraer el agua del suelo hasta formar fango a sus pies.*

Foto 23: torre de transmisión

*Además, copaiferas (*árboles leguminosos de la familia Faboceae originarios de la cuenca del Amazonas*), gigantes mimosas con una honda hendidura, hojas de fina contextura y de un rosa delicado.*" (A las mimosas pertenecen entre otras las plantas sensitivas que cierran sus hojas al tocarlas).

Proseguimos por la ribera izquierda hasta dar con la boca de un caño muy largo, pero ciego. Continuamos hasta encontrarnos un enorme banco de arena en el medio del río. Hacia el norte, en la ribera derecha, avistamos la localidad de Parmana (Guárico).

Veíanse esa tarde numerosas aves, entre las que reconocimos gaviotas, gavilanes tijeretas y la majestuosa águila pescadora (Pandion haliaetus) que en más de una ocasión observamos zambulléndose en el río para salir volando con un pez entre sus garras.

Cambiamos completamente a la ribera izquierda. Seguimos avanzando y comenzaron a verse varias curiaras de gente local y de indígenas, signo de que nos acercábamos a la boca del río Cuchivero, donde se observan algunas casas dispersas en las riberas y curiaras de locales e indígenas.

Foto 24: torre de transmisión intermedia.

Pasamos la desembocadura del Cuchivero y a los pocos minutos divisamos las torres de cruce de la línea de alta tensión que va a Pijiguaos y Puerto Ayacucho; se encuentran entre las más altas del mundo. Se trata de tres torres: una en la ribera norte del río (Guárico), la segunda en el medio del río sobre una isla, y la tercera en el lado sur (Guayana).

Nos acercamos al sitio de cruce de las líneas con la intención de armar el campamento en la isla donde descansa la torre del medio. Nos aproximamos cuidadosamente, pues la zona exhibía numerosos bancos de arena y el viento soplaba con fuerza esa tarde. Al llegar a la isla nos dimos cuenta que las playas eran de lodo arcilloso, un lodo en el que al pisar se hundían las botas varios centímetros.

Toda la ribera de la isla presentaba esa característica, así que después de intentar sin éxito en varios sitios y lograr salir luego de haber encallado más de una vez en los bajos que había por doquier, nos dirigimos a la ribera norte, donde encontramos una playa más adecuada, con una franja de lodo más estrecha y menos profunda. Atracamos en la orilla y, equipados con las botas de goma, llevamos el campamento hacia adentro de la playa. La playa, de más de 100 metros, tenía en su parte de atrás algunos arbustos, al lado de los cuales establecí mi carpa, mientras Rubén colocó la suya cerca del bote, en plena explanada de arena como era su costumbre. Armábamos así nuestro quinto campamento.

Nos hallábamos a escasos 500 metros de la torre norte, y apenas cayó la tarde, acompañada de un colorido crepúsculo y de una espectacular puesta de sol bajo un cielo claro y despejado, se mostraba a lo lejos, en la otra orilla, el resplandor de las luces de Caicara del Orinoco, población considerada como el centro geográfico del país. La presencia de delfines y toninas frente a la playa completó el reconfortante espectáculo después de la agotadora jornada. Ya de noche nos dispusimos a cenar y comentar sobre el viaje y otros particulares.

El sitio fue ideal para dormir pues nos separaba una zona bastante ancha de río con muy poca profundidad, y luego la isla central, de la otra orilla. El tráfico de curiaras, bastante intenso en esta zona en comparación con otras, debido a las cercanías de Caicara, se desarrollaba en su totalidad por la ribera opuesta, a casi 5 km de nuestro campamento y con una enorme isla de por medio. El punto exacto del campamento 5 fue:

N 7º 42’05   W 66º 03´27

Sitio del quinto campamento en las costas del estado Guárico cerca de Caicara del Orinoco, en el estado Bolívar. El río presenta aquí una anchura que supera los 4 km.

Fotos 25, 26, 27, 28 y 29: atardecer caleidoscópico desde la playa del quinto campamento.

)ía 6: 08 de enero de 2008

n Caicara

Después de una excelente y tranquila noche, sin lluvia, sin viento, sin contratiempos de ningún tipo (excepto la gripe), me levanto al alba, recojo campamento y apuro a Rubén. Hoy debemos detenernos en Caicara para el aprovisionamiento de la etapa final del viaje.

Salimos temprano, antes de las 7:30 a.m. El río había bajado unos centímetros ya desde hacía algunos días.

Nos dirigimos en un principio a la torre de transmisión cercana. Pasamos por debajo, fotografiándola, y continuamos por la ribera norte, bordeando numerosas playas de fina arena blanca. Le comentaba a Rubén que también pudimos haber establecido el campamento de la víspera en alguna de ellas, y tal vez sin tanta arcilla en la orilla. Luego cruzamos el río hacia la ribera de Guayana. A pesar de lo temprano del día, el río ya se mostraba recio y el cruce no dejó de hacernos sentir cierta tensión, más que en esa zona su anchura alcanzaba casi los 5 km. Ya al aproximarnos a la otra ribera observamos algunos pilotes y maquinaria del consorcio que está construyendo desde hace un año el tercer puente sobre el Orinoco.

Este sector se caracteriza por poseer extensas zonas planas constituidas por sedimentos jóvenes del terciario superior y del cuaternario que se corresponden con la planicie aluvial del Río Orinoco en su margen del lado de Guayana.

Costeando la ribera sur arribamos a Caicara alrededor de las 9 a.m. Detuvimos el bote en el "puerto" junto con muchas otras embarcaciones y curiaras metálicas, la mayoría pertenecientes a pescadores. Nuevamente la natural curiosidad de los allí presentes hizo que en pocos segundos nos viésemos rodeados de pobladores locales preguntándonos lo de rutina.

Foto 30: amanecer en el quinto campamento.

Una población que se hubiese deseado esconder en el ángulo de un río hubiera envidiado la situación de Caicara. Colocada como posada a la vuelta del camino, su posición, en el centro geográfico del país, es excelente para prosperar aún a más de 400 km de la desembocadura del Orinoco. Su principal ventaja es la disponibilidad de agua limpia del Orinoco para consumo humano (después de tratada), para navegación y pesca, para limpieza y para uso industrial.

Foto 31: preparando la salida en la playa de lodo.

La villa de Caicara fue fundada 1762 por el Gobernador de Guayana Don Manuel Centurión. En 1816, durante la guerra de la independencia, fue incendiada por sus mismos pobladores para evitar que cayera en manos de la fuerza realista que la asediaba. A partir de 1817 comenzó a ser reedificada en un sitio cercano, al oeste de su emplazamiento original. El 15 de octubre de ese mismo año, mediante un decreto del libertador, se incorpora oficialmente la provincia de Guayana a la república de Venezuela, siendo designada la villa de Caicara como capital del departamento del Alto Orinoco, que comprendía todos los territorios situados entre los ríos Caura, Meta y Amazonas, incluidos los llanos occidentales del Orinoco.

Foto 32: aspecto del Puerto de Caicara.

Foto 33: niño pescando Caribes.

Foto 34: la torre norte con más de 240 metros de altura.

Foto 36: estructura de la torre norte vista desde abajo.

En 1821 la villa de Caicara tiene 103 viviendas y 465 habitantes y es designada como capital del gran estado Bolívar, formado por las secciones de Guayana y Apure. Esta condición la pierde al año siguiente cuando la legislatura del Estado decide mudar la capital a Ciudad Bolívar, ya que en Caicara no existían las instalaciones mínimas necesarias para el funcionamiento del Gobierno Regional, pasando a ser de nuevo cabecera departamental.

A partir de 1901 pasa a ser la capital del distrito Cedeño del Estado, dotado de varios centros oficiales de educación preescolar, así como también básica, secundaria y diversificada. Funciona en Caicara un núcleo de la universidad de Oriente. Cuenta con un hospital Urbano tipo I y servicios públicos fundamentales, tales como energía eléctrica permanente en un 95%, acueductos en un 85%, cloacas 45%, y aseo urbano en un 90%.

Caicara es el centro poblacional y comercial más importante del occidente del Estado Bolívar, nudo de comunicación terrestre y centro de actividades mineras, agrícolas, pesqueras, pecuarias y forestales.

Entre sus tradiciones hay que nombrar los carnavales y la Feria de La Coroba, en honor a la virgen Nuestra Señora de la Luz en el mes de mayo.

Actualmente están en marcha algunos proyectos bajo la responsabilidad de la Corporación Venezolana de Guayana. El más ambicioso es la construcción del Tercer Puente sobre el Río Orinoco que irá desde Caicara del Orinoco, Estado Bolívar hasta Cabruta, Estado Guárico y tendrá 4.8 km de longitud, 137 metros de altura y cuatro vías de comunicación: dos en sentido al Estado Guárico y dos en sentido hacia el Estado Bolívar, más una vía férrea en la parte inferior. Una animación virtual del puente puede verse en:

http://www.youtube.com/watch?v=V9Kg1E4QcdI

Otros proyectos en fase de estudio son la construcción de una procesadora de textiles con capitales mixtos y la construcción de una procesadora de alúmina, cuya primera fase de inicio se prevé que comience en el 2009.[2]

Volviendo ahora a la descripción de nuestra travesía, una vez establecidos en el embarcadero de Caicara, solicitamos gasolina. Uno de los pescadores se ofreció a llenar el tanque de 25 litros que habíamos consumido desde Las Majadas.

(2) Ninguna de estas obras ha sido concluida a la republicación de este libro (2021). Los multimillonarios fondos destinados no alcanzaron, pues la incontrolable y omnipresente corrupción se encargó de agotarlos tempranamente.

Lo llenamos y le pedí a Rubén que se quedase en el bote mientras yo iba al pueblo a comprar el resto de las provisiones.

Me interné en las pequeñas y pintorescas calles de Caicara con la cava en una mano y las bolsas de basura que habíamos acumulado por varios días en la otra, hasta encontrar una papelera donde depositarlas. A unos 300 metros del embarcadero detuve a un taxi que contraté para que me llevase a diversos sitios. Ante todo, a una panadería a comer un buen desayuno y llevarle a Rubén el suyo. Me llevó el taxista a una panadería conocida del pueblo donde desayuné sándwich, cachito, jugo (compré otro tanto para llevar a Rubén) y me aprovisioné de jamón, queso y yogurt.

La segunda parada fue una farmacia donde obtuve algo para la gripe, unos antibióticos (de reserva) y unas botellas de bebida hidratante. A continuación, el taxi me llevó a adquirir hielo. Llené la cava con unos bloques de hielo que durarían hasta el final del viaje. Por último, pasamos por una frutería donde pedí una mano de cambures.

Regresé al bote (el "tour" fue de casi una hora) y ya Rubén había hecho amistad con algunos pescadores que inclusive le habían enseñado a pescar Caribes (especie de Pirañas) desde la propia orilla... Yo mismo vi cómo apenas al echar un nylon con un anzuelo, mordían los carnívoros peces. Una buena advertencia para no bañarse en esas aguas.

Abandonamos el embarcadero pasadas las 10 a.m., siguiendo el consejo de los pescadores de ir siempre costeando la ribera izquierda (Guayana) por lo agitado del río, que en esa parte no baja su anchura de 4 km. A la media hora aproximadamente pasábamos frente a Cabruta, del otro lado. Luego sorteamos varios bancos de arena de gran tamaño, y como a la hora, pasábamos frente a la boca del río Apure que se confundía con la inmensidad del Orinoco.

Navegábamos en las turbias, pero limpias aguas del río, que no dejaba de mostrarse agitado por el viento. Bancos de arena afloraban en el medio del río. Llegado el mediodía nos encontramos un trecho en el que el río se dirigía hacia el sur completamente. Allí poco a poco fuimos cruzando al margen derecho. El viento nos venía entonces del este (izquierda) y levantaba olas que chocaban con los tubos de babor del bote, salpicándonos y mojándonos. Afortunadamente el sol y la fuerte brisa se encargaron de secarnos.

Costeábamos la ribera derecha, que desde la boca del Apure ya es el estado Apure. La costa se caracteriza por playas bajas y estrechas de blanca arena, un pequeño terraplén hacia arriba, y los interminables llanos.

Foto 37: extensas islas de arena entre Apure y Guayana.

Del lado izquierdo (Guayana) ya comenzaban a aparecer montañas pequeñas con densos bosques verdes en medio de los cuales afloraban claros rocosos graníticos de color negro.

En un recodo del río nos detuvimos a trasvasar gasolina. Rubén se bajó del boté en una pequeña playa de lodo, y al caminar se enterró repentinamente en el lodo hasta la altura de las rodillas. Cual arena movediza, el lodo comenzó a succionarlo, y por más esfuerzos que hacía por salir, lo que lograba era hundirse más. Ya cuando el lodo comenzaba a filtrarse por la abertura de una de las botas, a la altura de su rodilla, se lanzó de espaldas hacia atrás para aumentar su superficie de contacto, e intentó con gran ahínco zafarse las botas. Lo logró, pero el lodo invadió completamente su bota izquierda.

Una vez "a salvo", y mientras limpiaba las botas con el agua del río, le pedí que me alcanzase una de ellas para ayudarle a limpiarlas. Estando sentado yo en el borde del bote, introduje la bota completamente dentro el agua mientras la iba agitando para poder limpiarla de la pegajosa arcilla, pero se me resbaló en una maniobra, cayendo al río, y a pesar que aún estábamos detenidos en la playa de lodo, y que la profundidad no llegaba ni a un metro, la bota se hundió rápidamente desapareciendo en el fondo fangoso sin poder recuperarla.

Ni siquiera con los remos la pudimos encontrar en un lecho de río que pareciese que se tragase todo lo que cayese en él. Más de 15 minutos estuvimos tratando de rescatar la bota, pero infructuosamente.

Finalmente, y bastante contrariados por el suceso, desistimos y continuamos. Había que tener más cuidado de allí en adelante con lo que se nos cayese al río, y con los sitios donde decidiésemos atracar.

La tarde nos envuelve, con un sol inclemente cuyo efecto se amplifica con el reflejo en el agua. Por el tiempo empleado en Caicara, este día no navegaríamos tanto como los demás.

Buscamos sitio para establecer nuestro sexto campamento al norte de la isla Matajey, entre bancos de arena. Después de dar algunas vueltas para encontrar una zona óptima, nos quedamos en una playa amplia y de suelo duro (arena, no lodo arcilloso) en un paraje apartado de la corriente principal del río. La playa daba a un estrecho canal que la separaba de la costa norte de la isla Matajey.

Ocasionalmente, mientras manejaba el bote, abría un paraguas pequeño que había traído para resguardarme del sol, y sobre todo en la tarde para bloquear el reflejo sobre el agua. Como solíamos navegar siempre hacia el oeste o suroeste, a partir de las 3 de la tarde el reflejo del sol en el agua se hacía sentir de frente con bastante intensidad.

Al maniobrar para llegar a la playa escogida, dejé el paraguas momentáneamente sobre la parte (tubo) trasera del bote. Rubén inadvertidamente tomó el remo, que tropezó con el paraguas echándolo al río. En un abrir y cerrar de ojos el paraguas "desapareció" tal como pocas horas antes lo hiciese la bota de Rubén. El río se lo tragó irreversiblemente, y con este era el segundo objeto que perdíamos en la travesía.

Instantes después del incidente llegamos a la playa, bajamos el equipaje, armamos las carpas y cenamos el acostumbrado plato de espagueti preparado con agua del Orinoco, como era de imaginarse.

El atardecer fue el más espectacular que nos regalara la Naturaleza en el viaje. Un cielo rojo intenso, con tonalidades naranja y amarillo se sucedía como un caleidoscopio minuto a minuto a medida que el ocaso avanzaba. Decenas de fotografías captadas por nuestras cámaras grabaron el singular fenómeno. Luego, ya de noche, escuchamos fuertes ruidos a unos cien metros de nosotros, parecidos a los que haría un remo cuando se golpea violentamente contra el agua. Pensábamos que eran algunos pescadores en su faena, y nos acercamos con las linternas a investigar.

Foto 38: llegada a la playa el campamento día 6.

Fotos: 39, 40, 41 y 42: sexto campamento en la isla Matajey... un cielo rojo intenso, con tonalidades naranja y amarillo se sucedía minuto a minuto a medida que el ocaso avanzaba.

También nos cruzó que podría tratarse de caimanes, pero nos dimos cuenta que eran más bien toninas que estaban "pescando" en la zona y alborotaban a los peces que huían saltando violentamente para escapar de ser engullidos.

La tonina (Inia geoffrensis), también llamada delfín de río, delfín rosado o boto, vive en los ríos y lagunas de la cuenca alta del río Amazonas y el Orinoco. La subespecie de la cuenca del Orinoco es la I.g. humboldtiana.

Su color varía de rosado y marrón claro a gris azulado, siendo más oscuro en la parte superior. Los adultos miden 2.5 a 3 metros pesando entre 110 a 200 kg. Las aletas laterales son grandes comparadas con el tamaño de cuerpo y se curvan hacia atrás. En cambio, la aleta dorsal está reducida a una prominencia sobre el lomo.

Una característica que la diferencia de otros delfines, como los marinos, es que sus vértebras cervicales no están fundidas, permitiendo a la cabeza una amplia gama de movimientos.

Las toninas son prácticamente ciegas, y de hecho la visión de poco les sirve en las turbias aguas del Orinoco o del Amazonas. Su modo de orientarse es la ecolocalización o biosonar que consiste, de forma similar a como lo hacen los murciélagos, en emitir sonidos que rebotan en las presas u obstáculos permitiéndole así determinar la posición y distancia del objeto.

Las toninas tienen dos tipos de dientes: los delanteros, puntiagudos, y los posteriores, más planos. Los primeros los utilizan para capturar la presa, y para machacarla los segundos. Su dieta preferida consiste en cangrejos y peces pequeños que capturan por ecolocalización y llevan hasta la superficie, aunque ocasionalmente se alimentan también de tortugas.

Nadan generalmente en pareja, pero en circunstancias especiales pueden hacerlo en grupos hasta de 20 miembros. Respiran cada 30 a 110 segundos, lanzando un chorro de agua por el orificio dorsal que puede alcanzar 2 metros de altura.

Al reproducirse, su gestación dura poco más de 300 días, tras los cuales nace una cría que permanece dos años al lado de la madre. Durante el apareamiento nadan con la parte ventral hacia la superficie, cerca de la orilla del río. Su reproducción depende del nivel estacional de las aguas.

Una amplia mitología ronda sobre su actividad, especialmente sobre su personificación humana y las relaciones entre delfines y muchachas.

La tonina, igual que su pariente el delfín, es un animal inteligente y muy sociable. Se relacionan fácilmente con los humanos, especialmente con aquellos que se desplazan en embarcaciones pequeñas, a las que se acercan con ánimo de jugar y de contestar sonidos con sus cantos de sirena.

A lo largo del viaje habíamos tenido la oportunidad de observar toninas, así como también delfines de mar en varias ocasiones. Todos los intentos de Rubén por lograr capturar una foto de este animal, sin embargo, fueron en vano, pues no era fácil desde el bote en movimiento presagiar dónde exactamente la tonina emergería a respirar por apenas uno o dos segundos, para entonces lograr apuntar, estabilizar, enfocar y disparar la cámara.

Satisfechos, después de escudriñar varios cientos de metros de playa con las linternas y descubrir la causa de los extraños ruidos en el agua, regresamos al campamento donde, después de una extendida plática, nos dispusimos a dormir poco antes de las 9 p.m. bajo un sereno y oscuro cielo estrellado y totalmente despejado. Además de las constelaciones usuales en esa latitud, pudimos observar con facilidad el paso de satélites artificiales, algunos planetas que Rubén identificó con alguna dificultad, y uno que otro meteorito. Teníamos luna nueva ese día. El sitio exacto del campamento 6 fue:

N 7º 16'04 W 66º 46´00

Ejemplar de tonina rosada (Inia geoffrensis), también llamada delfín de río. Foto: anónimo.

Sitio del sexto campamento frente a la isla Matajey. La línea blanca sobre el río es el límite Apure – Guayana.

Día 7: 09 de enero de 2008

Extraviados en el Cinaruco

La mejor noche hasta el momento. Tranquila, despejada, fresca. Me levanto de nuevo al despuntar el alba, y lo de rutina. Rubén también se levanta temprano. Hoy debemos dormir en el río Cinaruco, pues ya mañana es el fin del viaje y nos recogen.

Salimos temprano del hermoso campamento frente a la isla Matajey, no sin antes comprobar que el río había descendido. Una pequeña rama enterrada en la arena justo en el borde de la orilla la noche anterior, apareció ya unos centímetros tierra adentro al amanecer.

Nos dirigimos por el río (dirección suroeste) bordeando la misma isla, que luego da lugar a la isla Peladura. A pesar de lo temprano del día, las aguas del río se mostraban bastante turbulentas esa mañana, lo que nos obligaba a mantenernos en la costa derecha, la de Apure.

A poco más de una hora divisamos la localidad de La Urbana en la ribera opuesta (Guayana). La ruta que yo había preparado sugería hacer una parada en esa población, pero decidimos más bien circular por el lado norte de la isla que lleva su nombre, manteniéndonos de esa manera frente a Apure, para no cruzar por las aún agitadas aguas.

Otra hora larga navegando por la parte derecha del río nos lleva a un canal donde está la entrada al río Capanaparo. El Orinoco continúa bastante alborotado esa mañana con olas altas y dificultad para navegar, inclusive yendo arrimado lo más posible a la orilla. Al entrar en el canal cerca de la boca del Capanaparo el río afortunadamente se calma.

Salimos del canal, nuevamente al tormentoso río, que poco a poco vira hacia el sur – sureste ("retrógrado") hasta que finalmente, y atraídos por la belleza paisajística del lado de Guayana, decidimos cambiar a esa ribera opuesta aprovechando la circunstancia que el río comenzaba a calmarse. En algún punto en esta etapa cruzamos el paralelo 7º hacia el sur, y en adelante las coordenadas serían 6º norte..., etc.

En esa ribera izquierda predominan montañas pequeñas cubiertas de exuberante vegetación y zonas de rocas graníticas y piedras. Un poco más adelante se divisa una instalación metálica grande, que sirve para descargar el mineral de bauxita que viene en ferrocarril a las gabarras que lo transportarán por el Orinoco. Nos acercamos y nos detenemos en una rampa de cemento. Mientras Rubén inspecciona el lugar, aprovecho para trasvasar gasolina.

Fotos 43, 44:...las aguas del río se mostraban bastante turbulentas esa mañana, lo que nos obligaba a mantenernos en la costa derecha, la de Apure...

Fotos 45 y 46: ...en esa ribera izquierda predominan montañas pequeñas cubiertas de exuberante vegetación, zonas de rocas graníticas y piedras...

Foto 47: ...aprovecho para trasvasar gasolina.

Era el mediodía, y continuábamos hacia el sur. Luego de una media hora aproximadamente pasamos frente a la boca del río Suapure. El Suapure es un río pequeño, de unos 50 metros de ancho promedio en su parte más baja, que discurre en forma sinuosa pasando cerca de la localidad de Pijiguaos, de donde se extrae bauxita para la fabricación de aluminio. Nace en las inmediaciones de la serranía de Guanai, al norte del estado Amazonas. El río es bastante caudaloso en casi toda su extensión y su curso de agua se ve salpicado frecuentemente por pequeños raudales, rápidos y peñascos que sobresalen del agua, muchos de ellos inclusive en época de crecida.

Inmediatamente viramos a la izquierda, internándonos en el Suapure en la búsqueda de un sitio para almorzar. Sabía que el río era bastante caudaloso y debía presentar muchos obstáculos (piedras) en todo su recorrido, pues en otras ocasiones ya lo había navegado parcialmente.

Foto 48: recodo donde almorzamos en el río Suapure.

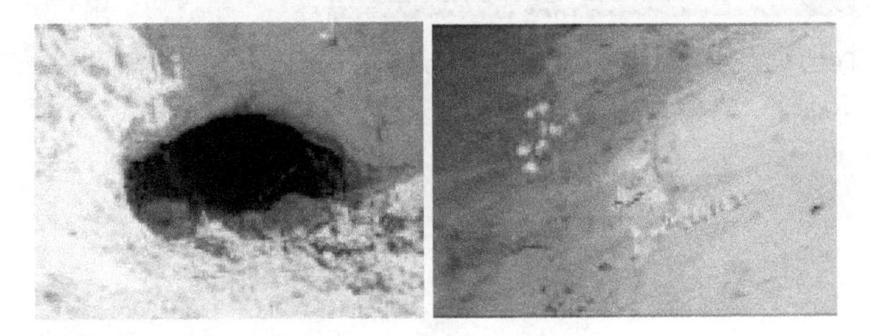

Foto 49: madriguera a orillas del río Suapure.

Foto 50: grupo de mariposas alimentándose.

Foto 51: raíces descubiertas por el bajo nivel del río.

Foto 52: río Suapure próximo a su desembocadura en el Orinoco.

Pero a pesar de que navegamos más de media hora río arriba buscando un raudal para detenernos, no nos topamos con mayores trabas a la navegación. Por fin decidimos dar la vuelta para bajarnos en algún sitio a almorzar, pues de lo contrario no íbamos a llegar a tiempo al Cinaruco.

El río Suapure fue explorado hasta un punto en exactamente:

N 6º 47'53 W 66º 57´36

Desafortunadamente, en la ruta escrita que llevábamos, no se hacía ninguna referencia al Suapure, y al consultar Google-Earth una vez finalizado el viaje, me di cuenta que el punto donde decidimos retornar en el río estaba a escasos kilómetros del puente en la carretera Caicara – Pijiguaos. Poco antes del puente hay una serie de raudales y grandes piedras en el río, que yo mismo había visitado en una excursión años atrás y donde, de haber seguido unos minutos, pudimos haber almorzado en un exótico ambiente natural.

Nuestro "comedor" natural, sin embargo, no dejó de ofrecernos su encanto paisajístico. Una pequeña playa en el Suapure, bajo una acogedora sombra proporcionada por exuberantes árboles, nos brindó la oportunidad de disfrutar de un rápido pero relajante almuerzo.

Partida nuevamente por el Suapure río abajo. Llegamos al Orinoco y cruzamos a la ribera derecha para prepararnos a encontrarnos con la boca del Cinaruco. La desembocadura del río Cinaruco está en nuestra ribera derecha del Orinoco (estado Apure), detrás de la larga isla de El Burro, así que nos dispusimos a navegar entre la isla El Burro y el margen derecho del Orinoco.

La navegación en ese tramo no tuvo ningún inconveniente excepto por la pérdida de mi toalla que había usado para taparme del sol de la tarde, pues ya no tenía mi paraguas. En un golpe de viento la toalla se cayó al río... y bueno, no duró ni 5 segundos a flote. A pesar de ser tela, al igual que la bota de Rubén y mi paraguas, "se la tragó el río".

El Orinoco se mostraba apacible esa tarde. Enfilamos desde la boca del Suapure hasta la ribera opuesta y serpenteamos entre los bancos y enormes playas de arena de la isla El Burro hasta llegar al Cinaruco. El color del río cambió, pues se mezclaban las aguas azul oscuro, semi transparentes del Cinaruco con las opacas, turbias, marrón oscuro del Orinoco.

A unos pocos minutos de la boca del río, hacia adentro, comenzamos a ver algunos pescadores temporadistas con sus botes generalmente de aluminio. En las orillas había de vez en cuando algún campamento con carpas, y en un sitio donde estaba bastante levantada la orilla, se vieron varios automóviles, indicio de que se podía llegar por carretera a esos sitios.

Según la ruta que llevábamos escrita, el río se dividía un poco más adelante en dos brazos principales: uno a la izquierda o sur y otro a la derecha o norte. Basados en el mapa (Google Earth), había recomendado tomar el de la izquierda, por verse más "despejado de bancos de arena".

Entramos en el río. Eran aproximadamente las 3 y media de la tarde. En los primeros kilómetros el río es relativamente ancho y el agua se tornaba más transparente.

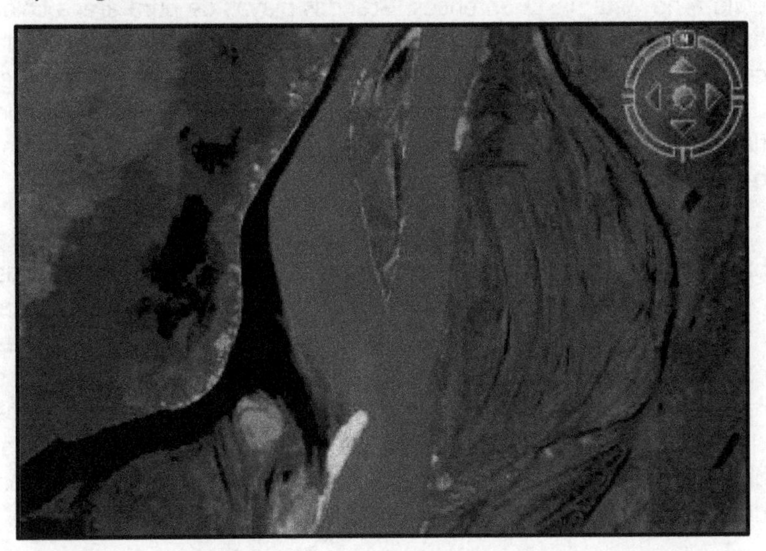

La boca del río Cinaruco, vista desde el satélite. Se aprecia el cambio de coloración del agua.

La guía de la ruta, que yo mismo había elaborado en base a mapas de cartografía y al Google, decía así textualmente:

La primera parte del río es relativamente ancha (durante unos 5 km). Luego se estrecha, y en N 6º 38′ 45″ W 67º 09′ 41″ (72) hay una bifurcación. Según el mapa podría tomarse cualquiera de las dos, pero más despejada de bancos de arena se ve la del lado IZQUIERDO.

En N 6º 38′ 30″ W 67º 09´ 53´´ (73) hay otra bifurcación. Tomar esta vez a la DERECHA.

Por alguna razón que nunca nos fue clara del todo (tal vez un pequeño islote en el medio del río nos confundió), tomamos la ruta de la derecha. Sin más nos internamos en un canal de una belleza no vista hasta entonces. Grandes playas de pura arena color naranja pálido contrastaban con el azul del río, en una tarde soleada casi totalmente despejada. Las playas se sucedían a ambos lados del río y en sus recodos. De vez en cuando uno que otro pescador aislado hacía aparición bien sea de pie en la orilla con su nylon o con su caña, o tal vez en un bote con dos o tres compañeros en su faena.

Continuamos con cautela, pues el río estaba sumamente bajo. A diferencia del Orinoco, se podían apreciar a escasos centímetros bajo el agua los bancos de arena como manchas color naranja a medida que nos acercábamos a ellos. Más de una vez encallamos y tuvimos que salir levantando el motor y usando los remos como pértiga. En dos ocasiones vinimos a parar a "caños ciegos": estrechos canales rodeados de densa vegetación donde, si bien no había bancos de arena, a los pocos metros se cerraban con una pared de arbustos.

Seguimos por lo que considerábamos que era el canal principal hasta que llegó un punto donde el río tendría unos 30 metros de orilla a orilla, pero con un banco de arena a todo lo ancho de unos centímetros de profundidad. La arena se veía perfectamente a trasluz debajo del agua.

Imposible la navegación con el motor. Levantamos el motor y Rubén se remangó los pantalones, se bajó al río, tomó la cuerda y comenzó a halar el bote hasta dejar atrás el banco de arena, unos 40 metros más adelante. Era muy difícil ir a remo, pues la corriente era bastante fuerte y superaba nuestras fuerzas. Además, el bote de goma no está diseñado como tal vez un Kayak para ir a remo un tramo con corriente fuerte en contra.

Con esperanza de que no volviera a suceder, bajé el motor de nuevo al finalizar el banco, en aguas un poco más profundas, y continuamos muy lentamente, rozando la propeler eventualmente con montículos de arena en el fondo. A los pocos metros, de nuevo el río se veía interrumpido por otro gran banco de arena apenas sumergido, de ribera a ribera.

Esta vez Rubén se negó a bajarse de nuevo y halar el bote. Había visto una baba cercana y no quería encuentros cercanos con el reptil. Intentamos pasar por los extremos del banco, guiándonos por la sombra que sobre el bajo producía el sol del atardecer, pero fue inútil. Si no se halaba el bote como en el banco anterior, no saldríamos.

Ya intranquilo por la hora, tomé entonces el mapa de cartografía, busqué las coordenadas en el GPS y trasladándolas al mapa me di cuenta que estábamos en el brazo norte. En otras palabras, habíamos tomado por el canal de la derecha. Entre la confusión, el cansancio y la amenaza de que en menos de una hora sería completamente de noche, no lográbamos pensar con claridad para darnos cuenta de qué había sucedido.

Decidimos regresar. De nuevo Rubén haló el bote en el trecho bajo, y al poco rato decidí preguntarles a los pescadores que andaban en un bote de aluminio, cuál era la ruta hacia la chalana. Nos dijeron que estábamos en una "madre vieja", es decir, un canal que en otro tiempo fue canal principal, pero que a lo largo de los años se convirtió en un brazo que, como habíamos experimentado, se hacía innavegable en verano.

Nos indicaron que debíamos regresar a la "laguna" y tomar por el curso ancho, principal, del río.

Así lo hicimos, e inclusive sobrepasamos hacia atrás el punto 72 de la ruta: punto de la bifurcación de los dos brazos del río. Como no estábamos seguros exactamente acerca de por dónde tomar, preguntamos a varios de los pescadores locales. Uno de ellos no sabía a ciencia cierta por donde debíamos ir. Otros nos dieron indicaciones vagas. Finalmente nos detuvimos al lado de otro bote de aluminio con tres pescadores que se veían conocedores del río, y ellos muy cortésmente si nos indicaron con precisión la ruta.

Inmediatamente encontramos el brazo principal después de dos horas de navegación fuera de nuestro rumbo. Caía la noche, así que forcé el motor a su máxima velocidad, poniendo especial cuidado en esquivar posibles bancos de arena, también presentes en el caño principal y ya más difícil de detectarlos visualmente debido a la escasa luz. Debíamos estar navegando a unos 25 km/h.

En el punto 73 de la ruta tomamos esta vez a la izquierda, a pesar de que se indicaba lo contrario, pero en la prisa, no íbamos leyendo la ruta. A los pocos metros, caño ciego. Regreso, y esta vez sí entramos en el río principal. A toda velocidad avanzábamos para encontrar una playa apropiada para acampar. A los pocos minutos llegamos a lo que en la ruta estaba marcado como punto 74:

En N 6º 37′ 40″ W 67º 11´ 54´´ (74) una nueva bifurcación. No importa cual tomar, las dos son válidas. La de la izquierda: más corta.

La bifurcación se originaba debido a un islote pequeño. Tomamos a la derecha (a pesar que la ruta señalaba que la de la izquierda era más corta), simplemente para esquivar un bote que venía con unos muchachos que estaban pescando.

Al sobrepasar la isla encontramos una playa grande a mano izquierda. Avanzamos hacia ella, cuando de pronto el motor se apagó: por segunda vez se nos acababa la gasolina del tanque en pleno río sin darnos cuenta.

Era casi de noche, y de hecho el sol se "escondía" ya, así que teníamos menos de media hora de penumbra. Rápidamente tomé un tanque de 35 litros, lo puse encima de la cava y comencé a trasvasar. No pensaba llenar completamente el tanque principal, para no tardar mucho, así que eché unos 10 litros de gasolina solamente, con su respectivo aceite. Unos 7 minutos llevó la maniobra, mientras el bote derivaba suavemente corriente abajo.

Encendimos el motor, recuperamos el tramo que nos arrastró la corriente, y en unos minutos estábamos atracando en la isla y desembarcando las cosas del bote. Pocos minutos después ya era totalmente de noche. Una curiara de pescadores que merodeaba en frente de la isla se marchó al anochecer, y no supimos de más embarcaciones hasta la mañana siguiente.

La isla era ideal para acampar. Sin lodo, con arena dura y seca en todas partes y una pared de vegetación densa y alta hacia atrás. La playa, de unos 40 metros de ancho y más de 80 metros de largo daba cabida cómoda a las dos carpas. Aprovechamos para dispersarnos un poco al tiempo que comentábamos sobre lo sucedido y cómo habíamos podido llegar a perdernos justo en el Cinaruco, después de haber navegado medio Orinoco y sorteado toda clase de islas, escollos, islotes y bancos de arena.

Armé mi carpa cerca del bote, y Rubén se alejó hacia la izquierda. Cenamos y disfrutamos escuchando la abundante vida animal de la zona. Pájaros nocturnos, peces, revoloteo en el agua por quién sabe qué pez tratando de comerse a los otros, anfibios, y no faltaron las babas semi sumergidas en las cercanías, que reconocimos por el brillo de sus ojos cuando alumbrábamos el agua con la poderosa linterna de Rubén.

Las babas (*Caiman crocodilus*) son inofensivas para los humanos. Son reptiles muy tímidos y asustadizos, a diferencia tal vez de otras especies de caimanes. Sin embargo, tuvimos la precaución de dejar la basura generada ese día en bolsas bien cerradas dentro del bote, lugar donde las babas no irían a tratar de aprovechar algún resto de comida.

El cielo se presentaba totalmente despejado y, por fortuna, sin luna. Un espectáculo la nitidez con que se observaban estrellas, satélites, uno que otro avión además de varios meteoritos o estrellas fugaces, al igual que en la noche anterior. Pero a diferencia de otros campamentos en el Orinoco, donde se divisaban resplandores leves en la lejanía provenientes de pueblos cercanos, en este lugar no había ningún tipo de "contaminación lumínica". La noche, perfectamente oscura, ofrecía un ambiente de relajamiento e íntimo contacto con la naturaleza.

Con una temperatura agradable, más bien fresca por la presencia del bosque en la parte posterior de la isla, y una suave brisa, sin plaga y sin amenaza de lluvia, nos dispusimos a dormir. La noche fue por lo demás sumamente tranquila y sin ningún contratiempo, si bien Rubén escuchó ruido de animales, encontrándonos a la mañana siguiente con pisadas de algún roedor en la arena. Por el tamaño de las huellas, se trató seguramente de una danta que merodeó el campamento atraída por el olor de la comida.

Nos dimos cuenta luego, por la ruta marcada en el GPS, que el lugar del campamento se encontraba a menos de 1 km al sureste de la "madre vieja" por donde habíamos pasado unas horas antes tratando de seguir el río.

En sitio exacto de este séptimo (y último) campamento fue:

N 6º 37'12 W 67º 12´17

Foto 53: puesta de sol llegando el campamento en el río Cinaruco.

Día 8: 10 de enero de 2008

Final del viaje

Como siempre nos despertamos temprano a la mañana siguiente para ir desarmando el campamento. El bosque detrás de la playa daba hacia el este, así que el sol tardaría un rato en mostrarse.

Por lo despejado de la noche y la escasa brisa, el rocío empapó las carpas por fuera y todo lo que dejamos sobre la arena. Queríamos secar bien las carpas antes de guardarlas, así que sin prisa alguna esperamos que asomara el sol a eso de las 7 a.m. sobre la playa y extendimos las carpas y otras cosas, hasta que se secaron completamente después de media hora.

Finalmente guardamos todo, lo metimos en el bote, desayunamos algo, y sin apuro alguno esta vez, abandonamos la isla. A los pocos minutos llegamos a lo que en la ruta estaba marcado como el punto 75, donde se unía nuevamente el canal principal por donde navegábamos, con la "madre vieja" que tantas dificultades nos había ofrecido la tarde anterior.

Visto en el mapa, escasos 2 km separaban el punto más lejano de avanzada que logramos en la "madre vieja" de la bifurcación con el río principal en este punto 75.

La figura abajo, tomada de Google Earth, ilustra la zona de los dos brazos. La ruta indicada por las flechas, es la ruta que debimos haber tomado desde un principio, es decir, el canal principal del río. El brazo superior (a la derecha de la primera bifurcación) es la "madre vieja" del río.

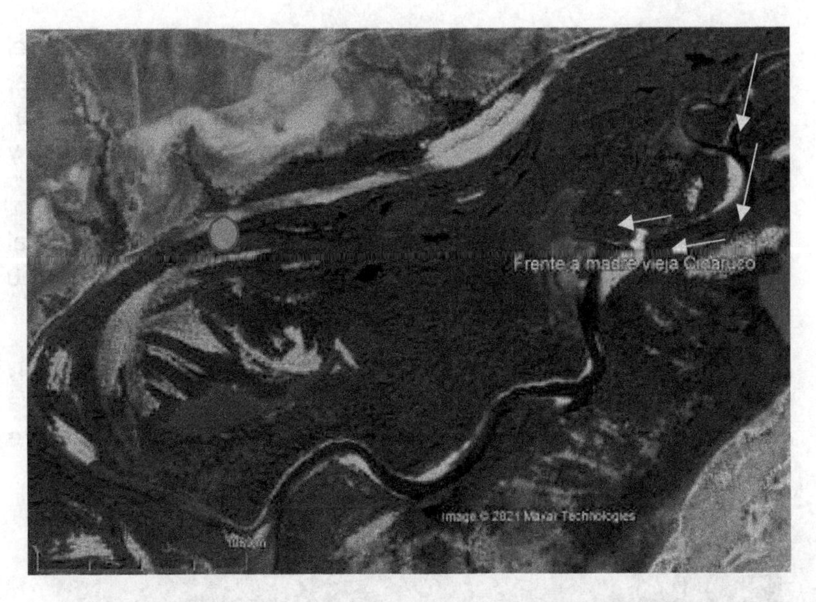

Se observa el punto donde acampamos (campamento 7 Frente a madre vieja Cinaruco), así como también el punto más lejano alcanzado al recorrer la madre vieja pasando por las dificultades narradas debido a lo bajo del río (círculo rojo). Continuamos por el Cinaruco poniendo mucha atención a las constantes bifurcaciones, ramales ciegos y lagunas. Aún con la ruta escrita y el GPS, en más de una ocasión dimos con un canal sin salida y hubo que regresar. Poco más de una hora de haber salido pasamos por la boca del caño Potrerito, que viene del sur.

Una sinfonía instrumentada de verdes boques de galería, playas de fina arena reflectante y las tonalidades celestes de agua y cielo con sus diferentes matices matutinos nos deleitaba esa mañana.

Apenas actividad humana observamos en ese recorrido, exceptuando uno que otro pescador aislado.

En un recodo del río me detuve para ceder el mando del motor a Rubén, quien navegó el bote durante casi una hora. Aproveché para guiarlo con ayuda del mapa de cartografía de la zona, y el GPS, sin cuya ayuda, nos hubiese costado mucho más tiempo y esfuerzo llegar al destino final.

Más adelante nos detuvimos a trasvasar al tanque principal la gasolina de un tanque auxiliar pequeño que levábamos, de 10 litros, de forma de vaciarlo.

Aproveché en ese momento, que recibía señal en el celular, para llamar a María Paula y María Amparo que ya habían llegado a la zona del cruce de la chalana y nos esperaban. Eran aproximadamente las 11 de la mañana.

Foto 54: amanece en el campamento en el Cinaruco.

Foto 55: río Cinaruco en la mañana del último día de travesía.

Foto 56: ribera del Cinaruco.

Foto 57, 58 y 59: playas e islotes en el bajo Cinaruco.

Vuelvo a tomar el mando del bote. En el último trecho, el río se despliega en tramos rectos de 2 a 3 km antes de llegar al punto de cruce de la chalana. Las playas desaparecen, y la orilla es de tierra. A una altura de más o menos un metro sobre las aguas se extiende la sabana de Apure en sitios donde no hay vegetación de galería.

A eso de las 12 del mediodía divisamos una gran antena, y a continuación parte del puente en construcción que unirá las dos riberas del Cinaruco (al tiempo de esta redacción, el puente ya ha sido terminado y está en funcionamiento). Se ve también la chalana trabajando en el paso de vehículos (más bien camiones pequeños) de una costa a la otra.

Llegamos a nuestro punto de destino finalmente, con un retraso sobre la planificación de poco más de una hora, después de navegar el río ininterrumpidamente durante 8 días.

Nos detenemos para determinar qué sitio es más conveniente para atracar y desarmar el bote. Justo cerca de las bases del puente hay una zona de tierra donde decidimos desembarcar. Vemos a lo alto la camioneta, pero no hay rastro de María Paula y María Amparo.

Rubén se baja a investigar, y a los pocos minutos, mientras yo voy descargando todo el bote, aparece el auto con los tres tripulantes. Ellas habían aprovechado la espera para dormir profundamente en el carro.

Lo demás fue rutina. Sacamos el bote del agua, lo secamos y cuidadosamente lo desarmamos metiendo todo en la camioneta, y tras disfrutar de unas frías y refrescantes bebidas, partimos los 4 de regreso a Caracas. Eran pasadas las 2 de la tarde.

El viaje terrestre de regreso se hizo sin contratiempos vía San Fernando de Apure, Calabozo, San Juan de Los Morros, Pardillal,

San Casimiro, Charallave y finalmente Caracas, donde arribamos poco después de las 11 p.m.

Habíamos alcanzado nuestra meta sin mayores contratiempos, aunque no faltaron momentos de tensión y hasta desilusión por el mal tiempo en la primera parte del viaje. Recorrimos unos 800 km, casi todo el Bajo Orinoco en 8 jornadas de íntimo contacto con el río, hasta el punto de llegar a acostumbrarnos tanto a él, que en algunos tramos la travesía se nos hizo un tanto monótona.

Foto 60: Punto de llegada. Bases del puente sobre el río Cinaruco

Conseguimos "tomarle el pulso al río", adaptarnos a su grandeza y su inmensidad, perderle el temor a cruzarlo y a navegarlo por el medio aún con sus aguas a veces turbulentas. Exploramos sus orillas, sus rincones, sus playas de fina arena, o a veces de traicionero lodo, sus rocas y sus pequeñas aldeas ribereñas. Compartimos con su fauna, especialmente con la gran diversidad de aves que veíamos casi constantemente, pero también con sus pobladores costeros.

Una experiencia única, sin duda, que nos llevó a comprobar con nuestros propios sentidos la aseveración del ilustre descubridor de América:

"El Orinoco sale del Paraíso"

Apéndice

Orinoquia Física

Geomorfología, Hidrografía y Clima

¿QUÉ ES LA ORINOQUIA?

La Orinoquia es la cuenca hidrográfica donde se recogen todas las aguas del Orinoco, aguas que provienen de la cordillera andina, de los llanos centro-orientales y del macizo guayanés.

Puede dividirse entonces la cuenca del Orinoco en tres grandes regiones hidrográficas: la Orinoco-andina, la Orinoco-llanera y la Orinoco-guayanesa.

GEOMORFOLOGÍA

Región Orinoco-guayanesa

El Macizo Guayanés proviene de la fractura del antiguo continente Pangea que se separó en el mesozoico y que constituye hoy en día una de las tierras más antiguas del Planeta.

El Macizo Guayanés se extiende, de oriente a occidente, desde muy cerca del Océano Atlántico hasta la Sierra de la Macarena, al pie de los Andes. En la dirección norte sur, va desde las vegas del río Orinoco hasta unos doscientos kilómetros antes de llegar al río Amazonas. En su mayor parte el Macizo ha sido erosionado por la acción de los movimientos tectónicos y por intemperismo a lo largo de centenares de millones de años desde el Precámbrico hasta hoy, dejando extensas planicies donde las rocas antiguas subyacen bajo delgadas capas de arena o de sedimentos (peniplanos y pediplanos).

La erosión diferencial a que ha sido sometido es la causa de los numerosos raudales y saltos de agua en sus ríos. En algunos lugares de esa planicie aparecen las llamadas "Inselbergs" (montañas islas), pequeñas moles graníticas que son el legado de las antiguas alturas hoy desaparecidas. Tanto en la parte colombiana como en la venezolana los ríos que nacen en la planicie guayanesa se bifurcan bien hacia el Amazonas, o bien hacia el Orinoco.

Hacia el nordeste y el este del Macizo se elevan grandes sierras y gigantescos bloques (tepuyes) que alcanzan verticalmente un promedio de 2.000 metros, llegando a los 2.875 m en el Monte Roraima o los 3.014 m en el Pico de la Neblina. Una cadena de grandes sierras (que pertenecen a la cuenca amazónica) separa la mayoría de los afluentes del Orinoco de los del Amazonas en Brasil, Guyana, Surinam y Guayana Francesa. Se trata las sierras de Imeri, Tapirapecó, Curupira, Parima, Pacaraima, Acaraí y Tumucumaque, entre otras. De estas montañas se desprenden ramales entre los cuales se incrustan profundamente numerosos ríos que discurren en furiosos raudales y saltos hasta encontrar las planicies sedimentarias en donde los cursos se tornan mansos.

Región Orinoco-llanera

Entre las montañas del Macizo Guayanés y la Cordillera de los Andes existe una enorme planicie que se extiende desde Colombia hasta el Delta del Orinoco, por más de 1.500 kilómetros de largo, y con un ancho que varía entre 500 y 800 kilómetros. Esta inmensa llanura tiene origen sedimentario y data del terciario y cuaternario. En ella nacen importantes ríos del lado colombiano, como el Vichada y su tributario el Inírida, e innumerables caños, morichales y riachuelos en los llanos venezolanos que dan lugar frecuentemente a bosques de galería.

La planicie se desarrolla en una pendiente imperceptible desde los 260 metros sobre el nivel del mar en las cabeceras del Inírida, hasta el Delta Amacuro, con un promedio de descenso de 17 centímetros por kilómetro.

El Llano presenta un régimen de precipitaciones y de sequía muy marcado. Durante seis meses de "invierno" llueve torrencialmente, inundándose las zonas bajas de los llamados "esteros". En el "verano", la lluvia cesa casi por completo dando lugar a seis meses de severa sequía debida a los alisios del noreste.

La planicie finaliza hacia el este en el portentoso Delta Amacuro, región pantanosa de un sin fin de caños y brazos que se forman por efecto del arrastre de sedimentos que lleva el Orinoco hasta su desembocadura. En estos pantanos abundan las selvas de intrincados manglares infectados de plaga.

Región Orinoco-andina

La Cordillera de los Andes, tanto en la parte colombiana como en la venezolana, añadiéndose a esta última la Cordillera de la Costa, forman una cadena montañosa de enormes proporciones que abarca unos 2.000 kilómetros de longitud, y cuyas vertientes constituyen el cinturón Orinoco-andino.

En esta enorme región se fuerzan las masas húmedas de aire hacia su parte alta, condensándose en precipitaciones que dan lugar a los grandes ríos de los llanos, tales como el Guaviare y el Meta en Colombia, y el Apure, Cinaruco y Capanaparo en Venezuela, cuya cuenca representa casi el 6% del total del sistema hidrográfico.

En la Sierra Nevada del Cocuy, en Colombia, se desarrollan masas heladas y lagunas glaciales que en la época de deshielo alimentan con sus aguas a diversos tributarios del Orinoco como el Casanare y el Ele en Colombia o el Arauca en Colombia-Venezuela. En los andes venezolanos otro tanto ocurre con los hielos de la Sierra Nevada de Mérida, que surten ríos como el Caparo y el Suripá, afluentes superiores del Apure.

Entre estas dos sierras nevadas se encuentra una muy húmeda planicie o llano, que alberga los bosques tropicales del Arauca, el Sarare y el Uribante.

La cuenca del Orinoco se extiende hacia el norte hasta la Cordillera de la Costa y sus serranías, en las cuales nacen en primer lugar los tributarios superiores del río Cojedes y del río Pao. La cuenca llega a acercarse a menos de 25 kilómetros del Mar Caribe, por encima del paralelo 10 grados de latitud norte.

En Guárico ocurre algo similar, cuyos protagonistas son los ríos Guárico y Orituco. Más hacia el este, en Anzoátegui, algunos ríos cortos y de pequeño caudal desembocan directamente en el margen izquierdo del Orinoco, pero pertenecen más bien a la región Orinoco-llanera descrita anteriormente.

En Monagas, la Cordillera de la Costa da origen a algunos pocos cursos de agua agrupados por el Guanipa, que desemboca en el caño Mánamo en la región norte del Delta.

LA HIDROGRAFÍA

El Orinoco nace en el cerro Delgado Chalbaud, entre la sierra de Parima y la de Curupira, a escasos metros de la frontera con Brasil, y comienza su curso en una trayectoria oeste–noroeste recostado del macizo guayanés, hasta llegar a la confluencia con el Guaviare y el Atabapo en San Fernando de Atabapo, donde vira hacia el norte franco.

Casi en la mitad de ese trayecto se produce un interesante fenómeno de interconexión fluvial, también llamado anastomosis, entre el Orinoco y el Río Negro (afluente del Amazonas) por medio del Brazo Casiquiare. Esta singularidad une las dos cuencas hidrográficas más grandes del mundo, permitiendo la navegación entre el Orinoco y el Amazonas por algunas embarcaciones de no más de 200 toneladas, a lo largo de este canal de 250 kilómetros. Lo curioso, tal vez, es que, a pesar de que este desnivel drena aguas del Orinoco a una velocidad promedio de dos metros por segundo, el Alto Orinoco no haya sido absorbido por el Río Negro, convirtiéndolo en un afluente más del Amazonas.

A los 890 kilómetros de recorrido el Orinoco se encuentra con el Atabapo y con el Guaviare. El Orinoco y el Guaviare tienen aproximadamente el mismo caudal, si bien este último alcanza 1.350 kilómetros de longitud. La disyuntiva de si el Guaviare no sería realmente el Alto Orinoco fue despejada por el mismo Humboldt, y discutida en capítulos anteriores de este mismo libro.

Si bien la porción de 510 km del Orinoco, entre la boca del Guaviare y la boca del Apure, es considerada como el medio Orinoco, en esta obra hemos optado por convenir que el medio Orinoco finaliza más bien en Puerto Ayacucho, con los raudales de Atures, dando lugar al Bajo Orinoco. Son estos raudales, y los de Maipures más hacia el sur, los que impiden la navegación continua, haciendo necesario que el traslado de mercancías y pasajeros se haga del lado venezolano por la carretera que une Puerto Ayacucho con Samariapo.

Aguas abajo de Puerto Ayacucho el caudal del río aumenta básicamente por los grandes afluentes que le llegan por su orilla izquierda, la mayoría de ellos provenientes de Los Andes y con aguas turbias por los sedimentos. Además del Guaviare y su afluente el Inírida, están: el Vichada, con 700 km de longitud; el Meta, con 1.000 km más su afluente el Casanare; el Arauca, con 1.000 km y el Apure, con 1.110 km y sus afluentes el Portuguesa y el Cojedes.

La llanura entre el Meta y el Apure, en pleno estado Apure, es el llano bajo o llano de inundación. La pendiente de sus serpenteantes ríos es casi nula, y sus aguas se encuentran con las del Orinoco en la época lluviosa formando una enorme e intrincada masa líquida proveniente de ríos, lagunas y caños que inunda cientos de kilómetros cuadrados en lo que localmente se conoce como el estero.

El llano inundado por un lado evita el desbordamiento masivo del Orinoco. Por otra parte, cumple un ciclo vital para el normal desarrollo de la vida tanto animal, local y migratoria, como vegetal. El hábitat inundado sirve de refugio a las aves migratorias, pero también es lugar de desove de los peces y fuente de alimentos para roedores, saurios y quelonios (tortugas). Su alteración por parte del hombre podría ocasionar un ascenso peligroso de las aguas del Orinoco en los meses de "invierno".

A partir del Apure, el río forma el llamado Codo del Orinoco, donde gira en un arco de aproximadamente 225 km para tomar un nuevo curso hacia el este.

Poco más arriba de la boca del río Apure, cerca de la desembocadura del río Suapure, están los puertos de descarga de Bauxita, que marcan el inicio de la navegación de barcos de gran calado.

En esta parte del bajo Orinoco pierden importancia los afluentes del lado izquierdo siendo mucho más caudalosos los que vienen del escudo guayanés. Primero el Cuchivero y luego los enormes ríos Caura y el Caroní-Paragua. El Caura, con aproximadamente 800 km de longitud y el Caroní, con 1.000 km, descienden respectivamente de la sierra de Arivana en la frontera con Brasil, y de los tepuyes orientales (Kuquenán) en la Gran Sabana, ambos con alturas superiores a los 2.000 metros. La energía potencial liberada en este fuerte descenso se utiliza en monumentales centrales hidroeléctricas en el río Caroní (Guri, Tocoma, Caruachi y Macagua) que suministran la mayor parte de la energía eléctrica del país y están entre las más grandes del mundo.

El Orinoco se abre al mar en un delta en forma de un inmenso abanico cuyo arco mayor mide 300 km. Tiene 12 canales importantes y un laberinto de pasos menores por pequeñas islas. Los brazos principales de norte a sur son: Mánamo, Pedernales, Macareo, Araguao, y Río Grande. En uno de sus canales se encuentra la población de Tucupita, capital del Estado Delta Amacuro.

EL CLIMA

La posición planetaria de la Orinoquia, en una faja latitudinal que se extiende desde 0º 40′ N, en la Sierra Tapirapecó (al sur del Estado Amazonas) hasta los 10º 17′ N, en el alto río Pao (en el Estado de Carabobo), indica un área totalmente tropical, es decir, comprendida entre los trópicos de Cáncer y de Capricornio y parcialmente ecuatorial.

Otros factores influyentes en el clima son la orografía, las grandes superficies inundadas o la cercanía al océano. Así, un clima ecuatorial o tropical, no necesariamente significa altas temperaturas. La Sierra Nevada de Mérida, con nieves perpetuas, es un ejemplo de la influencia orográfica en un clima tropical.

Al trópico, y por consiguiente al Ecuador, lo caracterizan la falta de verdaderas estaciones y la distribución casi equitativa de 12 horas de luz y 12 de oscuridad durante todo el año con variaciones muy pequeñas. Lo importante de la zona tropical es el movimiento hacia el norte y el sur de la zona de Convergencia Intertropical (**CIT**), una faja de bajas presiones causada por el calentamiento que proviene de la insolación vertical del sol según su movimiento relativo entre los dos trópicos. Las grandes masas de aire caliente ascienden y, al condensarse, se transforman en lluvias convectivas a todo lo ancho de la CIT. Sólo cuando el trópico está libre de la CIT se presenta la sequía.

El cinturón intertropical es de ancho muy variable: cuando es angosto alcanza a cubrir una misma zona dos veces al año y a dejarla libre otras dos veces (bimodal); cuando es muy ancho, sobre grandes zonas abiertas o planas, produce un solo periodo de lluvias y otro de sequía (monomodal). La excepción es la faja propiamente ecuatorial-tropical (2.5 grados norte a 2.5 grados sur) que nunca se ve totalmente libre de la CIT, presentando lluvias durante todo el año, aunque disminuidas hacia julio o hacia enero.

En general toda la cuenca del Orinoco es monomodal, con un solo periodo de lluvias (Mayo – Octubre) y otro de sequía (Diciembre – Abril), llamados impropiamente "invierno" y "verano" respectivamente, en una terminología ya fuertemente arraigada en el Trópico.

En algunas áreas, como en el alto Orinoco-Río Negro, el período de lluvias es todavía más fuerte y prolongado, iniciándose en abril y llegando inclusive hasta diciembre. Más de ocho meses durante los cuales hay fuertes aguaceros diarios, la mayoría de los cuales se prolongan durante varias horas. En realidad, esta zona carece de un verdadero período seco ya que se encuentra sobre la faja ecuatorial, y no son raras las lluvias de "verano" en los meses "secos" de enero y febrero.

En San Carlos de Río Negro, por ejemplo, que se encuentra a menos de 2° N, se hace sentir con toda intensidad el efecto ecuatorial. No hay un solo mes propiamente seco y en todos los meses del año la precipitación media rebasa los 200 mm, superando los 400 mm durante junio y julio

La faja de las calmas inicia su cubrimiento de la Orinoquia, por el sur, durante el equinoccio de marzo y alcanza su total cubrimiento en el solsticio de junio, cuando la vertical solar llega al Trópico de Cáncer. Las lluvias comienzan a disminuir cuando la vertical solar traspasa de nuevo el Ecuador hacia el sur, a finales de septiembre, "arrastrando" tras de sí la faja de las calmas que, sin embargo, sigue cubriendo gran parte de la Orinoquia varios meses más hasta despejarla casi totalmente (excepto al extremo sur) en diciembre, en el solsticio de invierno del hemisferio norte.

En el inicio y finalización del "invierno" se presentan fuertes tormentas eléctricas y violentos chubascos en toda la Orinoquia. Esto se debe a la inestabilidad de la atmósfera cargada de humedad que favorece la formación de cúmulo-nimbos que ascienden verticalmente a gran velocidad, cargándose eléctricamente por la intensa fricción. Resulta uno de los espectáculos más sobrecogedores de la naturaleza el observar una de esas tormentas en el mes de noviembre, con nubes intensamente oscuras por las que se cruzan cientos de rayos. Las gruesas gotas de lluvia se desploman primero verticalmente y luego, por efecto de las fuertes ventiscas, horizontalmente formando una densa cortina que dificulta la respiración. El fenómeno de los vientos locales, cuando se inicia la tormenta, se debe al repentino enfriamiento de la atmósfera que crea una isobara de alta presión que se desplaza en la dirección hacia donde todavía está seco. Para el habitante de las selvas y sabanas la fuerza de los vientos es una medida de la fuerza de las lluvias que los siguen.

Los promedios meteorológicos muestran que la Orinoquia venezolana es más seca que la colombiana. La parte oriental, en Valle de la Pascua y Ciudad Bolívar, llega a tener hasta seis meses secos al año. Sin embargo, el Delta Amacuro tiene una sequía más corta, de tres meses, y Santa Elena del Uairén ya no presenta meses secos no obstante ser una región de sabanas.

En la Orinoquia colombiana los sitios más secos son Arauca y Puerto Carreño, en donde la sequía se extiende entre los meses de noviembre y marzo. Más cerca de la cordillera, o hacia el sur, aumenta la pluviosidad y hay menos meses secos. Así, en Saravena (Arauca) y Villavicencio (Meta), junto a Los Andes, sólo el mes de enero es verdaderamente seco.

Como el invierno se desarrolla primero en el Alto Orinoco, el río represa las aguas provenientes de sus afluentes. Los ríos de los llanos entre el Meta y el Apure absorben parte de esas aguas y se van "hinchando" de su boca hacia arriba, hasta que comienzan a llegar las aguas de Los Andes que bajan posteriormente.

Hacia el mes de junio el cauce del Orinoco no puede ya contener tal cantidad de agua, y comienza el desbordamiento. De allí en adelante, y hasta septiembre, los llanos bajos forman una inmensa laguna que se pierde en el horizonte. Sin embargo, la vida florece con el desove de los peces, la llegada de las aves migratorias, el despertar de los saurios que permanecían enterrados bajo el lodo, el apareamiento de los roedores y la enorme multiplicación de los insectos hematófagos.

En octubre comienzan a disminuir las lluvias y los ríos vuelven a su cauce. En noviembre comienza la sequía con la llegada de los vientos alisios del nordeste.

Los alisios del nordeste se originan en el centro anti ciclonal de las Azores, en el Atlántico Norte, y se dirigen hacia el centro de bajas presiones de la CIT, situada muy al sur durante los meses de noviembre a marzo. Son vientos constantes que, debido al efecto de Coriolis, tuercen su dirección hacia el suroeste barriendo el norte de Suramérica durante esos meses.

Los alisios llegan a la Orinoquia por la costa venezolana, especialmente por el ancho paso que deja el Valle del Unare. Se mueven en dirección suroeste hasta la sierra de la Macarena en Colombia, donde viran al sur para entrar en la selva amazónica del río Guayabero.

Estos vientos se caracterizan por su inversión térmica: son más fríos a ras del suelo que arriba, y por ello impiden la formación de nubes y secan todo cuanto encuentran a su paso. Debido a las bajas presiones en los llanos en la época seca, estas masas de aire en movimiento alcanzan velocidades importantes a su paso por la llanura abierta que no le ofrece obstáculo alguno. Si la planicie es alta y bien drenada, como los llanos centro-occidentales de parte de Guárico y Anzoátegui, la evaporación y la escorrentía se combinan para dar lugar a un paisaje seco, ardiente y agrietado, como el que se ve en los llanos del Vichada en Colombia o de Calabozo en Guárico.

Mientras más violento es el cambio entre el "verano" y el "invierno", son menos las especies de plantas que lo pueden resistir, pues deben sobrevivir a la inundación bajo las aguas del "invierno", para luego soportar durante meses temperaturas sobre los 40º C sin una gota de agua. Sólo algunas gramíneas y pequeños arbustos como el chaparro y el alcornoque han sabido adaptarse a esta variedad de condiciones extremas.

En Guayana las lluvias también son muy copiosas, pero los suelos pedregosos y arenosos tienden a producir cierto grado de sequedad edáfica, que se refleja en la menor exuberancia de sus bosques. Sobre las rocas de los tepuyes, por ejemplo, sólo puede sobrevivir una vegetación endémica muy limitada. En el caso de las altas sierras, como la Sierra de Parima, ocurre que del lado de barlovento la montaña condensa la humedad de los vientos provenientes del Atlántico dando lugar a una densa selva. Del lado opuesto (sotavento), los vientos ya secos absorben la humedad de la zona, originando en este caso el espacio de La Gran Sabana del alto Caroní.

Las montañas de los Andes y de Guayana fuerzan a los alisios a seguir el camino del Meta y del alto Vichada, ríos que pueden navegarse a vela corriente arriba en casi toda su extensión. Al entrar en el Alto Orinoco, sin embargo, el macizo guayanés obstaculiza los alisios del noreste. Como lo notaron Humboldt, Codazzi y Chaffanjon, aquí la atmósfera se torna quieta y pesada, aumentan las lluvias, la plaga de mosquitos se vuelve insoportable y ya no hay vientos para impulsar las velas. Antes del inicio de la navegación con motor, el remontar el alto Orinoco y sus afluentes era una penosa operación que se realizaba únicamente a fuerza de remos.

Foto 61: ... Sólo algunas gramíneas y pequeños arbustos como el chaparro y el alcornoque han sabido adaptarse a esta variedad de condiciones extremas...

CPSIA information can be obtained
at www.ICGtesting.com
Printed in the USA
BVHW082320310521
608489BV00014B/2238

9 783753 480527